B2 C2

Maïa Grégoire

GRAMMAIRE PROGRESSIVE DU FRANÇAIS

CORRIGÉS

Avec 600 exercices

CLE
INTERNATIONAL

www.cle-international.com

© CLE International/Sejer, 2019
ISBN : 978-209-038440-6

1   **dans** la rue de la République – **sur** le boulevard Vincent-Auriol – **dans** le quartier du Panier – **sur** la place du marché – **sur** la route de la Corniche – **dans** l'allée des Mimosas – **sur** le Vieux Port.

2   **1. Chez le** coiffeur. – **2. À l'**épicerie. – **3. Chez le** dentiste. – **4. Chez** Ikea. – **5. Au** BHV. – **6. À l'**école. – **7. Dans une** école spécialisée. – **8. À l'**Élysée. – **9. À la** campagne. – **10. En** prison. – **11. Au** cimetière. – **12. En** enfer. – **13. À l'**hôpital. – **14. En** bus. – **15. Dans le** bus 47. – **16. Dans** mon lit.

3   **Vacances à la carte**
Venez passer vos vacances avec nous : **à la** mer, **à la** montagne, **à la** campagne ou **en** ville… une maisonnette **dans une** île grecque, un hôtel **sur la** Côte d'Azur, un chalet **dans les** Alpes, une maison d'hôtes **à** Rome, un bungalow **sur une** plage, un emplacement **dans un** camping ou **à la** belle étoile… en habitant **chez des** pêcheurs… ou **dans une** tribu indienne. Voyagez seul ou **en** groupe…

4   **Entre amis**
… je retrouve mes amis **au** café. On va **dans un** petit café, « **Chez** Marco » Le bistrot est situé **dans un** quartier piéton… pendant que nos enfants sont encore **en** classe ou jouent **sur la** place… Pascale est directrice de marketing **chez** Esso, **en** banlieue, Anne est employée **dans** une banque, Jean-Pierre est travailleur social **dans la** banlieue nord de Paris. De temps en temps, on va dîner **dans un** restaurant chinois minuscule, **chez** Li Li. Notre ami Fred nous y rejoint parfois et là, on continue de/à refaire le monde.

5   *Exemple*
Je pense que la présence d'écrans de télévision dans les cafés peut être agréable car on peut, par exemple, regarder des matchs avec des copains ou d'autres supporters, alors qu'à la maison c'est plus limité. Ça fait une bonne ambiance pendant les matchs de coupe du monde. En revanche, si les écrans sont allumés toute la journée, ça peut déranger. On est tentés de regarder les images et d'écouter les clips et on ne se parle plus vraiment.

1   **1.** une taille **au-dessus de la** moyenne – **2.** une note **au-dessous/en dessous de la** moyenne – **3. au-dessous/en dessous de la** Manche – **4.** Les enfants **au-dessus de** 12 ans – **5.** Un grand miroir est accroché **au-dessus du** lit – **6.** L'eau gèle **au-dessous/en dessous de** zéro – **7.** sauter **par-dessus** l'obstacle – **8.** s'est glissé **par-dessous** la grille.

2   **1.** Le chien dort sous le lit. – **2.** Il fait très chaud : déjeunons dehors. – **3.** Restez à l'extérieur du terrain. – **4.** Vous trouverez mon adresse ci-dessus. – **5.** Il y a un médecin au-dessous/en dessous de chez moi. – **6.** Le marathon aura lieu à l'extérieur de la ville.

3   **1. à la** télévision – **2. à l'**ombre – **3. dans un/mon** fauteuil – **4. sur le** canapé – **5. à la** radio – **6. au** soleil – **7. sous la** pluie – **8. en** photo.

4   **Petite leçon d'ordre**
… mettez vos chaussettes **dans** le panier à linge sale… Mettez-les **dedans**… Rangez vos pantoufles **sous** le lit… poussez-les bien **dessous…** Rangez vos CD **dans** leurs boîtes… Mettez vos vêtements **sur** les chaises… Mettez vos chaussures **sur** le balcon, mais ne les laissez pas **dehors** toute la nuit…

5   Les SDF dorment dans le métro, sous les ponts, sur les bancs publics, dans les squares, sous les arbres, sur les places, sur les trottoirs, dans les entrées d'immeubles, sur les bouches d'aération de métro, sous des tentes, dans/sous des cartons.

6 *Exemple*

Je regarde les nouvelles sur Internet, quand j'ouvre mon ordinateur, mais je les lis également dans le journal, par exemple dans les journaux gratuits dans le métro et le soir, je regarde le journal télévisé à la télé. Je regarde aussi la météo à la télévision. Je lis de temps en temps mon horoscope dans des magazines, surtout quand je suis dans la salle d'attente d'un médecin. Je lis/je ne lis pas les rubriques sportives/de mode/« people* ». Je lis toujours/je ne lis jamais les petites annonces/les cours de la bourse.

* rubriques « people » : qui parlent des célébrités.

EXERCICES – page 15

1 **derrière** la poste – **2.** un pas **en arrière** – **3. à l'arrière de la** voiture – **4. dos à** la fenêtre – **5.** tournez **à gauche** – **6. en bas** de l'armoire – **7. devant** moi.

2 **1. derrière** une femme quand elle monte… **devant** elle lorsqu'elle descend – **2.** de petits mouvements **en avant** et… **en arrière** – **3. à l'avant de** l'avion, **derrière** un rideau… **à l'arrière de** l'avion/**au fond de** l'avion – **4.** les dents **de devant**.

3 **1.** un peu **avant** 8 h – **2.** on conduit **à gauche** – **3. de** l'autre côté de la rue – **4.** tombée **par** terre – **5. au fond** de l'océan – **6. au dos** du chèque – **7. face à** l'adversité – **8. au** 5e étage – **9. derrière** un arbre – **10. en** haut de cette tour.

4 **Un petit tour**

… j'ai grimpé **derrière** lui…. on s'est retrouvés **derrière un** bus… ceux qui étaient assis **à l'arrière du** bus… une longue queue s'était formée **derrière** nous, on ne pouvait pas retourner **en arrière…** la première bifurcation **à droite**… **devant un/en face d'un** étrange château se dressait **au milieu d'une** forêt… nous nous sommes faufilés **par-derrière…** nous avons monté l'escalier qui menait **au sommet de** la tour…

Exemple :

Soudain, Jim a poussé un cri… Il m'a montré quelque chose du doigt. En bas, les buissons remuaient. On a vu deux garçons qui sortaient du bois et qui partaient en riant… sur notre moto.

EXERCICES – page 17

2 **1. entre** deux amoureux – **2. parmi** les invités – **3. entre** les deux fenêtres – **4. parmi** tous ces candidats – **5. entre** nous – **6. parmi** eux – **7. De tous** les vins – **8. Parmi** mes étudiants – La plupart d'entre eux – **9. De toutes** les matières – **10.** plusieurs **d'entre** eux.

3 **Élections**

… doivent choisir **entre/parmi** une quinzaine de candidats… **parmi eux,** tous les représentants politiques… deux **d'entre** eux s'affrontent… en leur offrant, **entre** autres… **entre** l'élection présidentielle et les élections législatives.

4 **1. près de la** poste – **2.proche** de ma sœur – **3. près de la** fenêtre – **4.** marche **près de** moi – **5. proche du** loup – **6. près du** bord – **7. près de** moi – **8.** la station la plus **proche** – **9. près de** toi, sur le pré – **10.** paraît **proche**.

5 Je travaille **à vingt kilomètres de la ville.**   J'habite **à un quart d'heure d'ici**
Mon frère habite **à quinze kilomètres de Genève.**   La mer est **à 150 kilomètres de Paris.**

2 – Vous revenez du Kenya ? Vous êtes resté(e) longtemps là-bas ? – J'y suis resté(e) dix ans.
– Vous revenez de Norvège ? Vous avez vécu longtemps là-bas ? – J'y ai vécu un an.
– Vous revenez du Gabon ? Vous avez travaillé longtemps là-bas ? – J'y ai travaillé six mois.
– Vous revenez des Antllles ? Vous avez habité longtemps là-bas ? – J'y ai habité deux ans.

3 Tu vois ce lycée : c'est là où j'ai fait mes études. – Tu vois cet hôpital : c'est là où j'ai été opéré du genou. – Tu vois cette mairie : c'est là où je me suis marié(e). – Tu vois cette auto-école : c'est là où j'ai passé mon permis.

4 1. Antoine est **ici/là** ? – Oui, il est **ici/là** – 2. Oui, arrête-toi **là/ici**. – Je ne peux pas me garer **ici/là** – 3. Allô, Paris, **ici** Ajaccio… **là-bas** derrière la colline. – 4. Tu te mets **ici** à ma gauche… tu te mets **là** à droite. – 5. et **là** j'ai trouvé ton message – 6. Oh oui : c'est **là** où tu as poussé un cri. – 7. c'est **là** où Hemingway a vécu – 8. Jusque-**là**/jusqu'**ici** tout va bien. – 9. Et voilà, **c'est ici** que…

5 1. **j'y ai** grandi 2. **j'ai** vu deux films – 3. **j'y ai** passé un mols – 4. **j'ai** acheté (plus rare : j'y ai acheté) – 5. **j'y ai** habité – 6. **j'y ai** fait mes études – 7. **j'ai** pris des photos (plus rare : j'y ai pris) – 8. **J'ai lu** le journal (plus rare : j'y ai lu) – 9. **j'ai vu** *La Joconde* – 10. **j'y ai** laissé.

6 *Exemple*
Ce qui pousse à émigrer, à changer de pays, ce sont souvent des raisons économiques graves ou bien l'insécurité, la guerre, la famine. Mais on peut émigrer aussi pour repartir de zéro, vivre une grande aventure, connaître d'autres lieux, se confronter à d'autres cultures. Ceux qui quittent la ville pour la campagne, c'est souvent parce qu'ils ne supportent plus le bruit, les embouteillages, le manque d'espace. Ils recherchent un mode de vie plus simple, un air plus pur. En revanche ceux qui quittent la campagne pour la ville peuvent le faire pour trouver un emploi moins fatigant que les travaux des champs ou parce que la campagne est devenue un désert et qu'il n'y a plus de perspectives d'épanouissement. La ville semble offrir plus de possibilités d'emplois, de rencontres, de distractions.

2 1. Vous êtes **arrivés** vite ! Vous **êtes venus** en taxi ? – 2. ou pouvez-vous **revenir** plus tard ? – 3. je dois **retourner** au marché – 4. les hommes se **retournent** – 5. Voilà, voilà : **j'arrive** ! – 6. je l'ai **retourné** de l'autre côté.

3 1. tu ~~vas~~/**viens** avec nous ? – 2 Nous sommes **arrivés**/~~venus~~ depuis… – 3. Attends-moi ici : ~~je retourne~~/je **reviens** ! – 4. Si tu sors, ~~emporte~~/**emmène** le chien. – 5. sans **emporter**/~~emmener~~ de valise – 7. Le bateau **arrivera**/~~viendra~~ demain à 8 h.

4 **en** métro, **en** train, **en** bus, **à** pied, **à/en** vélo, **à** cheval, **en** rollers, **en** scooter, **en** trottinette, **à/en** ski, **à/en** moto, **en** deltaplane, **à** dos de chameau.

5 **Migraine et chocolat**
On **va** chez moi ou chez toi ? – Je préférerais qu'on **aille** chez toi, la femme de ménage **vient** chez moi. – Et si on **allait** au café ? – J'appelle Marlène pour qu'elle **vienne**… je lui dis d'**apporter** un cachet d'aspirine – c'est du Baume di Tigre que j'ai **rapporté/ramené** de Chine…

Mille choses
J'ai **emmené** les enfants à l'école, puis j'ai **emmené** le chat chez le vétérinaire… je lui ai **apporté** un gâteau, puis j'ai **amené** la voiture au garage… j'ai **rapporté** les livres à la bibliothèque… j'ai **ramené** les enfants à la maison… je n'avais pas **emporté** de parapluie… je suis **allée chercher** ma cousine à l'aéroport et je l'ai **déposée** à son hôtel… je suis **passée prendre** Jo au bureau et nous sommes finalement **rentrés** chez nous.

1   **1.** Je n'ai pas pu te **joindre** – **2.** Comment peut-on **rejoindre** la route nationale – **3.** Je cherche à **joindre** Joseph – **4.** Vous pouvez **me joindre** à ce numéro.

3   **1.** les amis que nous **avions rencontrés** – **2.** comment **retrouver** nos amis – **3.** On **rencontre** des gens bizarres – **4.** La famille **se retrouve** pour les fêtes.

4   **1.** En général, je vais au bureau à pied, je **marche** 40 minutes. – **2.** Si vous **partez** en randonnée, pensez à **emporter** quelque chose à manger. – **3.** Si vous **quittez** le bureau, pensez à éteindre. – **4.** Je déteste **conduire** en ville, je préfère **me déplacer** en bus. – **5.** veux-tu que je te **dépose** quelque part – **6.** Il faut que je **m'en aille**/que je **parte**. – **7.** les spectateurs sont priés de **regagner** leur place – **8.** Dans quel hôtel **êtes-vous descendus/allés** ? – **9.** Stella Star **a filé en douce**.

5   **Les fêtes d'Hamid**
C'est chez Hamid que j'ai **rencontré** Frank… Chacun des amis avait **apporté** un plat et avait **amené** un ami inconnu des autres. Marco avait **apporté** des lasagnes et il avait **amené** Frank. À l'aube, Frank m'avait **raccompagnée** chez moi… j'avais oublié mon sac… Frank me l'avait **rapporté.** On s'est **retrouvés/revus** un mois plus tard chez Hamid.

1   **Francophonie**
en France, **en** Belgique, **en** Suisse, **au** Québec, **au** Luxembourg, **à** Monaco, **au** Sénégal, **au** Niger, **au** Gabon, **au** Mali, **à** Haïti, **en** Guyane, **en/à la** Martinique, **en** Côte d'Ivoire, **au** Bénin, **au** Burkina Faso, **au** Burundi, **au** Cameroun, **en** Centrafrique, **à** Djibouti, **à** Monaco, **en** Mauritanie, **en** Nouvelle-Calédonie, **au** Liban, **au** Tchad, **au** Togo, **au** Vanuatu, **à** Saint-Pierre-et-Miquelon, **au** Rwanda, **à** Saint-Martin, **en/à la** Guadeloupe, **à la** Réunion, **à** Mayotte, **à** Madagascar, **aux** Seychelles, **aux** Comores…

2   J'apprends le chinois pour partir en Chine. J'apprends l'espagnol pour partir en Espagne. J'apprends le portugais pour partir au Portugal. J'apprends le grec pour partir en Grèce. J'apprends le russe pour partir en Russie. J'apprends le japonais partir au Japon. J'apprends l'anglais pour partir en Angleterre. J'apprends l'allemand pour partir en Allemagne. J'apprends l'italien pour partir en Italie.

3   On paie en sol au Pérou, en peso en Colombie, en dong au Vietnam, en riel au Cambodge, en roupie en Inde et au Sri Lanka, en real au Brésil, en dollar aux États-Unis, en piastre (ou en dollar canadien) au Québec.

4   **Chants et danses du monde**
La valse est née à Vienne, **en** Autriche. **Le tango** est né **à** Buenos Aires et **à** Montevideo, **en** Argentine et **en** Uruguay, il s'est diffusé **en** Europe. Carlos Gardel est né **en** France, **à** Toulouse. **La samba** est née à Rio de Janeiro, **au** Brésil, et a été importée par les esclaves venant d'Angola. **Le flamenco** et apparu **en** Espagne, surtout **en** Andalousie. **Le raï** est né **à** Oran et c'est un genre populaire auprès de la jeunesse **en** Algérie, **au** Maroc et dans tout **le** Maghreb (auprès de la jeunesse d'Algérie, **du** Maroc et **de** tout le Maghreb).

5   La cumbia est née en Colombie. Elle vient de Colombie. Le fado est né au Portugal. Il vient du Portugal. Le reggae est né en Jamaïque. Il vient de Jamaïque. Le zouk est né aux Antilles. Il vient des Antilles. Le mambo est né à Cuba. Il vient de Cuba. Le sirtaki est né en Grèce. Il vient de Grèce. Le rap est né aux États-Unis. Il vient des États-Unis. Le mariachi est né au Mexique. Il vient du Mexique.

1   On naît **à** Paris, **à** Lisbonne, **à La** Havane ou **au** Cap. On vit **en** Chine ou **en** Pologne, **au** Chili ou **en** Ouganda. On voudrait vivre **en** Catalogne, **en** Floride ou **dans le** Jura, passer l'été **en** Provence, **en** Toscane ou **dans le** Vermont, passer l'hiver **à** Tahiti et l'automne **à la** Réunion.

2   Le parmesan est un fromage produit en Italie. C'est un fromage qui vient d'Italie.
Le « pata negra » est un jambon produit en Espagne. C'est un jambon qui vient d'Espagne.
Le vinho verde est un vin produit au Portugal. C'est un vin qui vient du Portugal.
Le lapsang souchong est un thé produit en Chine. C'est un thé qui vient de Chine.
Le calvados est un alcool produit en Normandie. C'est un alcool qui vient de Normandie.
Le shiitake est un champignon produit au Japon. C'est un champignon qui vient du Japon.

Autres « spécialités » :
Les « calissons » sont des confiseries qui viennent de Provence. Le « Pashmina » est un lainage qui vient du cachemire. Le « kilt » est un vêtement qui vient d'Écosse. Le « camembert » est un fromage qui vient de Normandie. L'« aquavit » est une boisson alcoolisée qui vient de Scandinavie. Le « sirop d'érable » est un sirop qui vient du Québec. Le sel de Guérande est un sel qui vient de Bretagne.

Récréation n° 1 – pages 28-29

1   **1.** Avoir les pieds sur terre – **2.** Tourner sept fois sa langue dans sa bouche – **3.** Être dans la lune – **4.** Avoir une araignée dans le plafond – **5.** Jeter de l'huile sur le feu – **6.** Casser du sucre sur le dos des gens – **7.** Être sens dessus dessous – **8.** Mettre les pieds dans le plat.

4   **1.** dans l'Hexagone : **en France**   **2.** au pays de l'oncle Sam : **aux États-Unis**
3. dans la péninsule Ibérique : **en Espagne, au Portugal**   **4.** au pays du Soleil Levant : **au Japon**
5. chez nos voisins transalpins : **en Italie**   **6.** chez nos cousins germains : **en Allemagne**
7. chez les Hellènes : **en Grèce**   **8.** dans l'Empire du Milieu : **en Chine**
9. dans la Belle Province : **au Canada**   **10.** chez les Helvètes **: en Suisse**

Sondage-test n° 1 – page 30

1. Habitez-vous **dans une** rue, ou **sur un** boulevard ? Préférez-vous vivre **en** ville ou **en** banlieue, **dans un** petit village ou **dans une** grande ville ?

2. Faites-vous les courses **au** supermarché ou **chez des** petits commerçants ? Déjeunez-vous **à la** cantine, **dans un** petit restaurant ou **à la** maison ?

3. Étudiez-vous le français **au** lycée ou **dans une** école de langue ? Votre professeur vient-il **de** France, **de** Suisse, **de** Belgique, **du** Québec ?

4. Préférez-vous travailler assis **sur une** chaise, **dans un** fauteuil, ou allongé **sur** votre lit ? Aimez-vous lire **au** lit ? Votre lit est-il en face **de la** fenêtre ?

5. Aimez-vous les éclairages indirects, posés **sur** des guéridons ou préférez-vous avoir un lustre **au-dessus de** la table ?

6. Quand vous allez **à la** plage, vous allongez-vous **sur le** sable ou **dans une** chaise longue ? Vous mettez-vous **à l'**ombre ou **au** soleil ?

7. Où aimeriez-vous passer vos vacances : **à la** mer, **sur la** Côte d'Azur ou **à la** montagne, **dans les** Alpes ? Aimeriez-vous monter **sur le** Kilimandjaro ? Faire de la plongée sous-marine **en** Papouasie, ou **à** Cuba ?

8. Avez-vous déjà voyagé **en** hélicoptère ? **à/en** moto ? **à** dos d'âne ? Quand vous voyagez **en** avion, préférez-vous être **à l'**avant ou **à l'**arrière de l'avion ? Arrivez-vous à dormir **en** avion ?

9. Quand vous partez en vacances, quels objets **emportez**-vous : des livres, un ordinateur, un oreiller, une cafetière ? Est-ce que vous **emmenez** parfois des amis avec vous ? Est-ce que vous **rapportez/ramenez** des souvenirs de vos voyages (spécialités gastronomiques, objets d'artisanat, musique) ?

10. Selon vous, où a-t-on le plus de chance de rencontrer l'homme ou la femme de sa vie : **dans la** rue, **sur** Internet, **au** café ou **chez des** amis ?

EXERCICES – page 33

1   **1.** Nous sommes **le 20 juin**. Demain, **21 juin**, c'est l'été. – **2. en août, début septembre/au début du mois de septembre** – **3. Dans** l'Antiquité – **4. Dans le** passé et jusqu'**au** début **du** xxᵉ siècle – **5. Dans les années 40** – **6. Au** xvɪᵉ siècle.

2   **2.** Louis est né un jeudi. Le jeudi 31 août. En mille sept cent vingt. Au dix-huitième siècle. Il est né fin août (à la fin du mois d'août) en été. – **3.** Agnès est née un samedi. Le samedi 3 mars. En deux mille huit. Au vingt et unième siècle. Elle est née début mars (au début du mois de mars), au printemps.

Exemple :
Je suis né(e) un vendredi. Le vendredi 15 octobre. En mille neuf cent soixante-cinq. Au vingtième siècle. Je suis né(e) à la mi-octobre, en automne.

3   **Le réfrigérateur**
Déjà, **au** vɪᵉ siècle… dans de la glace découpée **en** hiver… **Dans l'**Antiquité, on stockait la neige… C'est **au** Moyen Âge que commence… **À la** Renaissance… **En** 1834, Faraday parvient… le réfrigérateur a été inventé **dans les** années vingt… On a constaté **au cours des** dernières années… Qu'en restera-t-il **au** siècle prochain ?

4   **1. la moitié d'une** baguette – **2. au milieu de la** route – **3. au milieu du** spectacle, la première **moitié** – **4. Mi-**septembre, **la moitié** du prix **5.** Je suis arrivé(e) **au milieu du** livre – **6.** J'ai déjà lu **la moitié des** pages !

EXERCICES – page 35

2   **1.** 15 h 15 : **Quinze heures quinze/Trois heures et quart** – **2.** 3 h 45 : **Trois heures quarante-cinq/Quatre heures moins le quart** – **4.** 23 h 30 : **Vingt-trois heures trente/Onze heures et demie.**

3   Le matin, je me lève tôt… à six heures **du matin…** pendant **la matinée…** à neuf heures du **matin** en fin **de matinée…** dans **la matinée**.

4   **1. à l'avance** – **2. d'**avance – **3. d'**avance/**par** avance – **4.** réservez **à l'avance** – **5. en ce** moment – **6. en** même temps – **7. en ce** moment – **8. au** même moment.

5   L'hôtel est ouvert **du lundi au samedi, de huit heures à vingt-trois heures, d'avril à décembre.** Il est fermé **du dimanche au lundi, de vingt-trois heures à sept heures du matin, du premier janvier au 30 mars.**

6   J'ai travaillé **jusqu'à** onze heures, **jusqu'au** soir, **jusqu'au** 12 avril, **jusqu'en** 2010, **jusqu'au** printemps, **jusqu'au** mois d'août, **jusqu'au** petit matin.

Rythmes scolaires
… les élèves travaillent **de** 8 h **à** 13 h en Hongrie, **de** 9 h **à** 15 h en Grande-Bretagne… les élèves français restent à l'école **jusqu'à** 16 h 30… deux semaines de vacances **en** automne, **à** Noël, **en** février et **au** printemps, **du** 30 juin **au** 3 septembre… **dans le** passé… **en** été… **au** début **de l'**automne/**en début** d'automne…

2 1. toutes les 2 secondes – 2. tous les 4 ans – 3. tous les 2 mois – 4. toutes les 3 minutes – 5. toutes les 24 heures – 6. tous les 10 ans.

3 1. tous les jours/**chaque jour** – 2. chaque année/**tous les ans** – 3. tous les 2 jours/**un jour sur deux** – 4. 2 fois par mois/**tous les quinze jours** – 5. tous les 2 ans/**un an sur deux** – 6. 2 fois par an/**tous les six mois**.

4 1. **chaque** jour – 2. **toutes les** heures – 3. une semaine **sur** deux – 4. six fois **par** jour – 5. **toutes les** deux heures – 6. Les enfants sont en congé **tous les** deux mois. – 7. **à chaque** seconde – 8. 24 h **sur** 24.

5 1. **En quelle année ? En** 1980.
3. **En quelle saison ? Au** printemps.
5. **En quelle année ? En** 1969.
7. **À quel moment ? Le** matin.
9. **À quelle époque ? Dans les** années 60.
11. **En quelle année ?** L'année **où**...
13. **Combien de temps ?**

2. **Quel jour ? Le** 14 février.
4. **À quelle heure ? À** quatre heures et demie.
6. **En quelle saison ? En** été.
8. **À quelle époque ? Au** XVIIe siècle.
10. **À quelle période ? En** février.
12. **À quelle époque ? Au** Moyen Âge.
14. **Combien de fois ?**

2 cinquante **ans** – plusieurs **années** – une vingtaine d'**années** – un million d'**année**s – environ quinze **ans** – trois cents **ans** – quelques **années** – huit **ans** – un grand nombre d'**années** – plus de cinquante **ans**.

3 1. A-t-elle duré 4 ou 5 **ans** ? – **Elle a duré 4 ans.**
2. Il a plu 40 ou 50 **jours** ? – **Il a plu (pendant) 40 jours.**
3. L'homme est sur terre depuis 300 000 **ans** ou 3 millions d'**années** ? – Il vit sur terre **depuis 300 000 ans.**
4. L'aube se situe en début ou en fin de **journée** ? – **Elle se situe en début de journée.**
5. La Saint Sylvestre se fête en fin ou en début d'**année** ? – **Elle se fête en fin d'année.**
6. **Une année** bissextile contient 364 ou 366 **jours** ? – **Elle contient 366 jours.**
7. Le Tour de France a lieu une ou deux fois par **an** ? – **Il a lieu une fois par an.**
8. Qui a dit : « Passé 40 **ans**… » ? – **C'est Léonard de Vinci qui l'a dit.**

Notes :
1 milliard d'années : premiers organismes multicellulaires
220 millions d'années : premiers mammifères et oiseaux
7 millions d'années : pré-hominidés
1,8 million d'années : hominidés
300 000 ans : nos ancêtres
2 500 ans : création de l'alphabet et des mathématiques

4 **Heureuse jeunesse**
Il y a cinquante **ans**/~~années~~… deux mois et demi de vacances par **an**/~~année~~, soixante-dix-sept **jours**/~~journées~~… On passait de magnifiques ~~jours~~/**journées** et de formidables ~~soirs~~/**soirées**…. C'était des ~~ans~~/**années** magiques…. le soir/~~la soirée~~ du 14 juillet… Quand arrivait **le jour**/~~la journée~~ de la rentrée…

5 *Exemple*
Quand j'étais petit, on partait en vacances une ou deux fois par an. On passait quelques jours à la campagne chez des amis ou quelques jours à la mer, dans un appartement de location près de la plage. Je passais toutes mes journées dehors avec mes frères et sœurs. Le soir, on se couchait tard et le matin, on faisait la grasse matinée. On était heureux.

2   Interrogatoire

Monsieur Blanc a dit qu'il avait vu son comptable deux jours plus tôt et qu'il lui avait dit qu'il ne pourrait pas venir le lendemain. Il a dit qu'il avait appris sa mort la veille et que ça lui avait fait un choc parce que son comptable avait acheté sa voiture la semaine d'avant/précédente, qu'elle était neuve et qu'il conduisait bien. Il a dit qu'il avait embauché André Julliard dix ans plus tôt. Il a précisé que son comptable avait pris un mois de congé pour dépression l'année précédente et qu'un mois plus tôt il avait remarqué certaines irrégularités dans ses comptes.

3   Journal de Félix Gouvard

… Hier, 28 juin, j'ai vendu ma maison. Avant-hier, 27 juin… Demain, 30 juin… l'année prochaine : en 1949…

Transformation

J'ai trouvé le journal de mon grand-père Félix. Il commence le vingt-neuf juin mille neuf cent quarante-huit. Ce jour-là, mon grand-père s'est marié. La veille, il avait vendu sa maison et l'avant-veille/deux jours plus tôt/deux jours avant, il avait passé et réussi son diplôme d'ingénieur. Le lendemain, mes grands-parents sont partis pour l'Australie. Une voyante avait prédit à mon grand-père qu'il deviendrait riche l'année d'après/l'année suivante, en 1949, et il l'est devenu.

2   1. **pendant** dix ans – 2. **pour** deux ans – 3. **pour** cinq ans – 4. **pendant** six heures – 5. **en** une semaine – 6. **dans** un mois – 7. **en** trois heures – 8. **en** deux mois.

3   Le poumon de la terre

Le gouvernement brésilien <u>a étudié</u> **pendant** plusieurs années le problème de la sauvegarde de la forêt amazonienne. La forêt <u>a perdu</u> 30 % de sa superficie **en** cinquante ans, et le processus de déforestation s'accélère. Un dispositif de surveillance par satellite <u>a fonctionné</u> sans succès **pendant** des années. Le gouvernement est impuissant et la forêt est livrée sans merci à toutes sortes d'exploitations sauvages : ainsi un entrepreneur brésilien <u>a gagné</u> une fortune **en** deux ans, en s'appropriant cinq millions d'hectares de forêt. Flore et faune : l'homme <u>a détruit</u> **en** quelques décennies ce que la nature <u>avait élaboré</u> **pendant** des siècles. En désespoir de cause, et avec le soutien de Greenpeace, le gouvernement a décidé de privatiser une partie de la forêt. Les parcelles <u>seront attribuées</u> **pour** une période de quatre ans à des sociétés dont la gestion <u>sera</u> rigoureusement <u>contrôlée</u> **pendant** toute la période du contrat. Privatiser pour sauver la planète ? Est-ce une solution ? On <u>connaîtra</u> la réponse **dans** quelques années.

4   1. Magda **a étudié** à l'université **pendant** quatre ans. – 2. Léo est distrait : il **a perdu** six parapluies **en** un an. – 3. Le feu **a détruit** mille hectares **en** quelques jours. – 4. Au cours des fêtes de fin d'année, le métro **a fonctionné** sans interruption **pendant** trois jours. – 5. Chaque année une bourse d'étude **est attribuée** aux meilleurs élèves **pour** une période de six mois. – 6. La police **a étudié** un plan **pendant** plusieurs jours pour libérer les otages. – 7. Mon fils **a gagné** mille euros **en** une semaine. – 8. Il faut **contrôler** les effets des médicaments **pendant** des mois avant de les mettre sur le marché. – 9. On **connaîtra** les résultats de l'examen **dans** un mois.

5   *Exemples*

– Tu as mis combien de temps pour changer le pneu ?/ remplacer le fusible ?/ imprimer 500 pages ?
– Il m'a fallu une heure/2 secondes/dix minutes.
– J'ai mis une heure/2 secondes/dix minutes.
– Ça m'a pris une heure/2 secondes/dix minutes.
– J'ai fait ça en une heure/2 secondes/dix minutes.

1 **1.** Vous travaillez depuis combien de temps ? Il y a combien de temps que vous travaillez ?
2. Vous êtes marié(e) depuis combien de temps ? Il y a combien de temps que vous êtes marié(e) ?
3. Vous avez quitté votre pays il y a combien de temps ? Il y a combien de temps que vous avez quitté votre pays ?
4. Vous conduisez depuis combien de temps ? Il y a combien de temps que vous conduisez ?
5. Vous avez changé de voiture il y a combien de temps ? Il y a combien de temps que vous avez changé de voiture ?
6. Vous habitez ici depuis combien de temps ? Il y a combien de temps que vous habitez ici ?
7. Vous vous êtes marié(e) il y a combien de temps ? Il y a combien de temps que vous vous êtes marié(e) ?
8. Vous suivez des cours (de français) depuis combien de temps ? Il y a combien de temps que vous suivez des cours ?
9. Vous avez passé le permis il y a combien de temps ? Il y a combien de temps que vous avez passé le permis ?
10. Vous avez arrêté de fumer il y a/depuis combien de temps ? Il y a combien de temps que vous avez arrêté de fumer ?

2 **1. sont fâchés** depuis des siècles… **se sont fâchés** il y a deux ans – **2. sont associés** depuis un an… **se sont associés** il y a dix ans – **3. se sont mariés** il y a six mois… **sont mariés** depuis six ans – **4. se sont installées** il y a 6 mois… **sont installés** depuis deux jours…

3 **1.** … **il pleut** depuis 8 jours. **Ça fait huit jours qu'il pleut !** – **2.** … il **dort** depuis plus de 12 h. **Ça fait douze heures qu'il dort.** – **3.** … tu **n'as rien mangé** depuis 48 h. **Ça fait quarante-huit heures que tu n'as rien mangé.** – **4.** … je **ne l'ai pas vu** depuis plus de 10 ans. **Ça fait dix ans que je ne l'ai pas vu.** – **5.** … le facteur **n'est pas passé** depuis 3 jours. **Ça fait trois jours qu'il n'est pas passé.**

1. J'ai eu une intoxication, il y a 2 ans, en mangeant des crevettes, et, depuis, je n'en ai plus jamais mangé.
2. Je me suis cassé la jambe en faisant du ski et, depuis, je n'en ai plus jamais fait.
3. J'ai perdu 500 euros en jouant au casino et, depuis, je n'y ai plus jamais joué.
4. Je me suis étouffé(e) en mangeant des cacahuètes et, depuis, je n'en ai plus jamais mangé.

4 **1.** Le train **est arrivé** en gare **depuis/il y a** dix minutes. – **2.** La police recherche l'enfant qui **a disparu** en rentrant de l'école **il y a/depuis** plus de dix jours. – **3.** Mon voisin **a gagné** 10 000 euros au Loto **il y a** quelques jours. – **4.** L'avion **a atterri** sur la piste 21 **il y a/depuis** dix minutes. **5.** Monsieur Rameau, le fleuriste, **s'est installé** dans le quartier **il y a** trois ans. – **6.** Il fait froid. La température **a baissé** d'au moins dix degrés **depuis** un mois. – **7.** Anne a des soucis : elle a les yeux cernés, elle ne **dort** plus **depuis** trois jours, elle **a perdu** son beau sourire. – **8.** Marc ne fume plus ? – Non, il a arrêté de fumer **il y a/depuis** trois mois. – **9. Depuis** quelques jours, l'état du malade **s'est stabilisé** et les médecins sont optimistes.

2 **1. Depuis** notre rencontre… – **2. Dès** l'âge de 12 ans, j'ai commencé à fumer. – **3. Depuis** l'âge de 12 ans, je fume. – **4. Dès** le matin, je me mets au travail. – **5. Depuis** ce matin, je n'ai rien mangé. – **6. Depuis** mon arrivée, je dors mal.

3 *Exemples*
1. Viens me voir **dès que tu pourras.** – **2.** Le chien aboie **dès qu'il entend du bruit/dès que quelqu'un passe devant la maison.** – **3.** J'achèterai une voiture **dès que j'aurais passé le permis/dès que j'aurai assez d'argent.** – **4.** Tu as meilleure mine **depuis que tu as arrêté de fumer/depuis que tu es en vacances.** – **5.** Il faut servir le café **dès qu'il est fait.** – **6.** Je n'ai plus de migraine **depuis que j'habite à la campagne/ je ne fume plus/je ne bois plus de vin.**

4   1. … dès qu'ils voient un radar. – **2.** … depuis que j'ai avalé une arête. – **3.** … dès qu'elle voit un chat. – **4.** … depuis qu'elle fait le régime. – **5.** … dès qu'ils naissent/dès leur naissance. – **6.** … dès qu'il commence à pleuvoir. – **7.**… depuis qu'on a élargi la chaussée. – **8.** … depuis qu'on a découvert un vaccin. – **9.** … dès qu'ils ont entendu l'alarme. – **10.**… dès qu'on branche la prise.

5   1. Je me coucherai dès que j'aurai dîné/aussitôt que j'aurai dîné.
2. J'archiverai le courrier dès que je l'aurai lu/aussitôt que je l'aurai lu.
3. Je te prêterai mon roman dès que je l'aurai fini/aussitôt que je l'aurai fini.
4. Je ferai une fête dès que j'aurai emménagé/aussitôt que j'aurai emménagé.
5. Je partirai dès que j'aurai reçu mon visa/aussitôt que j'aurai reçu mon visa.
5. Je sortirai dès que je me serai habillé(e)/aussitôt que je me serai habillé(e).

6   1. Aliona a **de la peine**… – **2.** Adrian a **de la peine à** se concentrer. – **3.** … **ce n'est pas la peine.** – **4.** … on y voyait **à peine**. – **5.** … il est **à peine** 10 h. – **6.** … ma mère a **de la peine à** marcher. – **7.** … Ça vaut **la peine d**'y aller. – **8. À peine** Jean était-il arrivé qu'il dut repartir.

EXERCICES – page 49

1   **Lettre de Marie Brunel**
… Je n'ai pas écrit **depuis** longtemps… Je suis tombée **il y a** trois jours… Il pleut **depuis** une semaine… Urssaf n'est pas sorti **depuis** trois jours. **Dès qu**'il voit entrer ton père… **ça fait** 21 140 jours **que** nous vivons ensemble. On s'est mariés **il y a** 58 ans aujourd'hui. … **Dans** deux ans, on fêtera nos noces de diamant… on a vécu ensemble **pendant** 58 ans. Deux fois **en** 58 ans. … Désormais, on se marie **pour** cinq ou six ans. Avant, on se mariait **pour** la vie. … on mange **dans** cinq minutes.
Ton frère Paul a arrêté de fumer **depuis/il y a** un mois (il a pris 6 kilos **en** un mois). … Il va partir en Inde **pour** six mois.

2   1. – **Depuis combien de temps** monsieur et madame Brunel sont-ils mariés ?
– **Ils sont mariés depuis 58 ans.**
2. – **Il y a combien de temps que** madame Brunel est tombée ? – **Elle est tombée il y a 3 jours.**
3. – **Dans combien de temps** le couple fêtera-t-il ses noces de diamant ?
– **Il fêtera ses noces de diamants dans deux ans.**
4. – **Depuis combien de temps** Urssaff n'est-il pas sorti ? – **Il n'est pas sorti depuis 3 jours.**
Il y a/ça fait combien de temps qu'Urssaff n'est pas sorti ? – **Il y a/ça fait 3 jours qu'il n'est pas sorti.**
5. – **Depuis combien de temps** Paul a-t-il arrêté de fumer ? – **Il a arrêté de fumer depuis/il y a un mois.**
Il y a/ça fait combien de temps que Paul a arrêté de fumer ?
– **Il y a/ça fait un mois qu'il a arrêté de fumer.**
6. **Pour combien de temps** Paul va-t-il partir en Inde ? – **Il va partir en Inde pour six mois.**

3   *Exemple* (d'après Wikipédia)
Le jour de la **Saint-Valentin** est considéré dans de nombreux pays comme la fête des amoureux. Les couples s'échangent des mots doux et des cadeaux ainsi que des roses rouges qui sont l'emblème de la passion.
On estime qu'environ un milliard de ces cartes sont expédiées chaque année à l'occasion de la Saint Valentin. En Amérique du Nord, les échanges de cartes ne se font pas selon la conception européenne où la carte de Saint Valentin est envoyée à une personne « unique ». Il n'est pas rare qu'une personne envoie une dizaine de cartes, et même que des élèves d'école primaire en envoient à leur maîtresse d'école.
Au Japon, en Corée et à Hongkong, les employées femmes offrent des chocolats à tous leurs collègues masculins. Le 14 mars (« le jour banc »), ce sont les hommes qui sont censés offrir un linge (ou d'autres cadeaux) blanc à celles qui leur ont offert des chocolats. Au Brésil, le « jour des amoureux » est fêté le 12 juin. En Colombie, le « jour de l'amour et de l'amitié » est fêté le troisième samedi du mois de septembre.

1 très tôt, à l'aube : **au petit jour**   au crépuscule : **à la tombée la nuit**
traîner au lit : **faire la grasse matin**ée   vivre sans penser à l'avenir : **vivre au jour le jour**
c'est l'opposé : **c'est le jour et la nuit**   actualiser : **mettre/remettre à jour**
progressivement : **au fur et à mesure**   depuis très longtemps : **depuis belle lurette**
ne pas se compliquer la vie : **ne pas chercher midi à quatorze heures**
ne pas penser aux difficultés à venir : **à chaque jour suffit sa peine**

1. À quelle heure êtes-vous né(e) ? **En quelle** saison ? Êtes-vous plus en forme **au** printemps ou **en** automne, **le** matin ou **le** soir ?

2. Êtes-vous né(e) **au** xxᵉ siècle, **dans les** années 60, 80, 90 ? En quelle **année** aurez-vous soixante **ans** ? Qu'aimeriez-vous faire **au cours des** prochaines années ?

3. Dormez-vous plus de huit heures **par** nuit ? Vous couchez-vous tard : avant ou après une heure **du matin** ? Faites-vous la grasse matinée **le** dimanche matin ?

4. Travaillez-vous toute la journée : **de** huit heures **à** dix-huit heures, sept jours **sur** sept, ou seulement **du** lundi **au** vendredi ?

5. Pendant combien d'**années** êtes-vous allé(e) à l'école primaire ? Restiez-vous à l'école toute la journée ou seulement **une/la** demi-**journée** ?

6. Si vous deviez vivre **dans le** passé, préféreriez-vous vivre **au** Moyen Âge, **dans l'**Antiquité, **à la** Renaissance ou **à l'**époque préhistorique ?

7. Êtes-vous organisé(e) : réservez-vous vos billets de train longtemps **à l'**avance ? Arrivez-vous **en** avance ou **en** retard à vos rendez-vous ? Vous **avez mis** combien de temps **pour** vous préparer ce matin ?

8. Mangez-vous une, deux ou trois fois **par** jour ? Allez-vous chez le coiffeur **tous les mois/chaque** mois, **tous les** deux mois ? Vous n'êtes plus allé (e) chez le dentiste **depuis** combien de temps ? Il y a **longtemps que/combien de temps que** vous avez passé votre permis de conduire ?

9. Êtes-vous prudent(e) ? Attachez-vous votre ceinture de sécurité **dès que** vous montez dans votre voiture, freinez-vous **dès que** vous voyez un radar, vous arrive-t-il de conduite et de téléphoner **en** même temps ?

10. Partez-vous en vacances **en** été ? Où êtes-vous parti(e) **l'**été dernier ? Partez-vous une ou plusieurs fois par **an** ? Partez-vous **pour** de longs week-ends ?

11. Vous étudiez le français **depuis** combien de temps ? Avez-vous cours **chaque** jour ? **Tous les** deux jours ? Combien d'heures **par** semaine ?

12. Vous avez répondu aux questions de ce sondage **en** combien de temps ? Avez-vous eu **de la** peine à répondre aux questions ?

2 **un** emploi, **un** bon emploi, **un** emploi de guide, **l'**emploi que je cherchais, **un** emploi à durée indéterminée, dans **un** musée de Bruxelles.

3 **un** vélo d'enfant, **un** roman pour l'été, **le** dernier livre de Roth, **la** route de Dijon, **un** stylo noir, **le** passeport de mon fils.

4 **Onyx**
J'étais devant **la fenêtre** de mon bureau qui donne sur **une** petite **rue** calme. Dehors, **le soleil** brillait et **l'air** était doux et chaud. J'avais allumé **la radio** et j'écoutais **une chanson** joyeuse de Charles Trenet… c'était **un moment** de détente agréable… je vis **le chien** du voisin traverser **la rue**. Onyx est **un chien** noir,

minuscule,… son maître, **un homme** âgé, vit seul dans **un appartement** immense… Onyx portait **un panier** plein de tulipes… **Le panier** de fleurs se balançait au rythme de **la chanson** de Trenet et j'ai cru voir, dans les yeux du chien, **un sourire/air** de tendresse…

5 1. **L'homme** est un loup pour **l'homme**. – **2.** **Un homme** ne pleure pas. – **3.** Je suis **un homme** qui pense à autre chose. – **4.** La femme est le nègre de **l'homme**. – **5.** Quel beau métier que d'être **un homme**. – **6.** **L'homme** descend du songe.

6 l'enfant, **le** héros, l'arbre, l'écran, l'habitant, **le** yaourt, l'hôpital, **la** hache, **le** Hollandais, **le** hareng, l'horloge, l'agence, **le** hangar, l'outil, **la** haie, l'hôtel, **le** hasard, **le** homard, l'urgence, **le** hurlement.

Les enfants, les // héros, les arbres, les écrans, les habitants, les // yaourts, les hôpitaux, les // haches, les // Hollandais, les// harengs, les horloges, les agences, les // hangars, les outils, les // haies, les hôtels, les // hasards, les // homards, les urgences, les // hurlements.

EXERCICES – page 57

2 **Mon samedi**
J'ai fait **les** lits, j'ai changé **les** draps, j'ai reçu **des** lettres, j'ai archivé **les** mails reçus, j'ai passé **des** coups de fil, j'ai cherché **des** idées de décoration, j'ai lu **des** magazines, j'ai acheté **des** rideaux blancs et **de** nouveaux coussins, j'ai fait **de** beaux rêves.

3 **Mes goûts**
J'adore **les** fruits. J'ai horreur **des** légumes J'aime **les** jeans. Je préfère **les** jeans étroits. J'aime porter **des** vêtements colorés. Je me pose **des** questions. Je déteste **les** conflits. J'ai besoin **d'**amis. Je hais **les** contraintes. J'ai envie **d'**émotions.

4 **Interview**
Gisèle : **Les** jeunes passent **des** heures sur **les** écrans. Ils ont tous **des** téléphones portables, **des** consoles vidéo et **d'**autres trucs… Il y a **des** milliers d'informations. Pour moi **les** jeunes sont **des** mutants.
Daniel : La confusion **des** genres. Je connais **des** jeunes… Je trouve que **les** parents ne devraient pas encourager **les** enfants… À mon époque, **les** jeunes rêvaient **de** voyages. On vivait **de** nombreuses expériences avant d'avoir **des** responsabilités.
Marianne : Quand il y a **des** problèmes, **les** jeunes reviennent, ils vivent comme **des** divorcés qui ont peur **d'**autres échecs.

5 Je dois acheter un autre ordinateur, d'autres chaussures, un autre frigo, d'autres lunettes, une autre montre, d'autres cahiers, un autre stylo, d'autres verres.

EXERCICES – page 59

2 **C'est la fin des vacances**
On attend **la** rentrée **des** classes en profitant **des** dernières journées **de** chaleur. On cueille **des** bouquets **de** feuilles. On fait **des** confitures **d'**abricots. On range **les** vêtements **d'**été, on sort **les** vêtements **d'**hiver. On perd **le** bronzage **de** l'été et on se prépare à **la** reprise **du** travail.

3 les amours **d'**été – la chaleur **de** l'été – l'heure **d'**été – au début **de** l'été – les mois **d'**été – l'arrivée **de** l'été – les fruits **de** l'été/d'été.

4   Un patron de bar

Le patron **du** bar… beaucoup de patrons **de** bar… Les jours **de** chaleur… les jours **de** pluie… le jour **des** élections… Les problèmes **de** circulation… les questions **de** société… le monde **du** sport… la qualité **de la** vie… les sujets **de** conversation… les secrétaires **du** bureau d'en face… une bouteille **de** vin avec le menu **du** jour… l'heure **du** déjeuner… leurs histoires **d'**amour… à l'heure **de l'**apéritif… le compte rendu **des** dernières nouvelles **du** groupe…

5   1. le goût **du** citron, le goût **de l'**anis – **2. une** vieille lampe **de** bureau – **3. des** clés **de** voiture – **4.** les clés **de la** voiture sur **la** porte **du** garage – **5. le** chauffeur **du** taxi était **un** fou dangereux – **6. un** chauffeur **de** taxi, un champion **de** courses – **7. une** sortie **de** secours – **8.** Où est **la** sortie **de** secours, à l'arrière **du** bâtiment – **9. le** sourire d'**un** enfant – **10.** le sens **de l'**humour, le goût **de la** vie, l'esprit de famille, l'absence **de** mesquinerie, la force **de** caractère, l'amour **des** enfants, l'absence **d'**ambition et le respect **des** autres.

EXERCICES – page 61

2   1. L'hôtel de ville – **2.** C'était le symbole de la corporation des marchands d'eau – **3.** Un agent de police (ou un gendarme) – **4.** Le ministre de l'Intérieur – **5.** Le palais de justice – **6.** Le ministère des Affaires étrangères.

3   L'amour
le miracle **de l'amour** – la recherche **de l'amour** – la force **de l'amour** – le manque **d'amour** – l'excès **d'amour** – les chagrins **d'amour** – la puissance **de l'amour** – l'absence **d'amour**.

4   La France
la géographie **de la France** – le nord **de la France** – l'histoire **de France** – le relief **de la France** – le drapeau **de la France** – l'ambassade **de France** – l'image **de la France** – les vins **de France**.

5   1. La majorité **des étudiants a réussi.** – **2.** La plupart **des jeunes enfants font la sieste.** – **3.** La majorité **des vacanciers part/partent.** – **4.** La plupart **des Asiatiques ont les yeux noirs.** – **5.** La majorité **des Nordiques sont blonds.**

6   1. 25 % **de la** population **vit** en dessous du seuil **de** pauvreté. – **2.** Bien **des** personnes âgées **souffrent** d'un manque **de** sommeil. – **3.** Un fort pourcentage **d'**hommes **se rend** au Salon **de l'**Auto. – **4.** La majorité **des** gens **craint/craignent** une augmentation **du** prix **des** loyers. – **5.** Un grand nombre **d'**automobilistes **perd/perdent** des points pour excès **de** vitesse.

7   **la qualité **de l'air – la température **de l'**eau – le taux **de** pollution – les programmes **de** cinéma – les projets **d'**aménagement – l'emplacement **des** pharmacies – le nombre **de** places – le montant **des** impôts – l'évolution **des** travaux.

EXERCICES – page 63

1   Carnivores
J'ai envie de manger **un** bon steak… j'ai acheté **de l'**autruche… c'est plus tendre que **le** bœuf… je masse **la** viande avec **de l'**huile… c'est **du** Mozart ? … j'écoute **du** Wagner quand je cuisine **de la** viande.

2   Le luxe
Qu'est-ce que **le** luxe ? Erik : **le** soleil, **la** chaleur, c'est ça, **le** luxe… un pays où il y a **du** soleil… avoir **de l'**argent Avoir **un** toit, **de la** nourriture et **des** livres. Jean : **le** luxe, c'est manger **du** caviar, boire **du** champagne et

dormir dans **du** satin. <u>Malika</u> : vivre dans **la** nature, manger **des** fruits frais, boire **de l'**eau de source, faire **du** feu de bois. Allumer **un** beau feu de bois. <u>Bill</u> : pour moi, c'est avoir **de l'**espace. Je veux dire, **un** espace assez grand pour y recevoir **des** amis, et y faire **de la** musique… une super sono pour écouter **du** rock, **du** Bach, **de la** salsa.

3 *Exemples*

1. On boit du café et on mange des yaourts avec du miel. – **2.** On mange de l'agneau rôti avec de la graine de couscous. – **3.** J'aime le vert, le blanc et le noir. – **4.** – Aujourd'hui, je porte du beige, du blanc et du noir. – **5.** Le coton, la laine, le cuir, l'or. – **6.** Je porte de la soie (mon écharpe), de la laine (mon gilet), du coton (mon jean) et du cuir (mes chaussures). – **7.** J'écoute de la musique classique, du piano, de la flûte, du violon. – **8.** Il doit avoir de l'expérience, de la patience et de l'humour. – **9.** Face à l'injustice, je ressens de la colère et de la tristesse.

EXERCICES – page 65

2 **1.** de monde – **2.** une pincée de sel – **3.** Il n'y a plus de pain – **4.** Je ne bois que de l'eau – **5.** Le tube de dentifrice – **6.** guère de temps – **7.** Voulez-vous encore du café ? – **8.** On n'a que des problèmes – **9.** Ma sœur ne mange pas de viande – **10.** c'est du cheval. Ce n'est pas du bœuf. – **11.** avec ø sagesse – **12.** La plupart des étudiants – **13.** Bien des gens – **14.** La majorité des électeurs – **15.** Que de bruit dans cette salle ! – **16.** des biscottes sans ø sel ? – **17.** guère de progrès – **18.** Vous n'auriez-vous pas du feu, s.v.p. ? – **19.** vivre sans ø espoir – **20.** Mais pas du tout ! – **21.** quantité de choses – **22.** sans faire de bruit – **23.** Des milliers de personnes – **24.** Il ne reste que des pâtes.

3 **Mars et Vénus**

1. de l'attention **2. de la** compréhension. **3. des** gestes rassurants
1. de l'acceptation **2. de l'**approbation **3. des** marques d'admiration
Que **de** malentendus… que **de** souffrances… La plupart **des** femmes… n'attendent que **de l'**écoute et **des** gestes d'amour… l'homme ne doit pas leur donner **de** conseils… Bien **des** hommes… proposer **des** solutions… un peu **d'**attention.
La majorité **des** hommes… un besoin vital **d'**acceptation… exprime **de l'**admiration… éprouvera **de la** gratitude… ressentira **de la** tendresse… ressentir **de l'**affection… perdront **de l'**assurance…

EXERCICES – page 67

1 J'aime **le** sport… je fais **du** basket ou **de la** natation… j'ai besoin **de** sport, ça me donne **de l'**énergie… j'ai **du** temps pour moi… je ne peux pas faire **de** sport car je fais **de la** musique… je joue **de la** clarinette… je fais **de l'**ordre. Je fais aussi **des** courses… je n'ai pas **le** temps… j'ai besoin **de** mouvement… je manque **d'**air.

2 **1.** je manque **de** fer – **2.** Élisa a **de la** classe et beaucoup **de** charme. – **3.** mon fils a eu **de l'**eczéma – **4.** Je n'ai pas eu **le** temps de terminer – **5.** elle a **un** rhume et **une** otite – **6.** Il faut **du** temps pour bien faire **la** cuisine. – **7.** mort **de** trac – **8.** des études de commerce – **9.** jouer **du** piano – **10.** fou **de** joie. – **11.** entourée **d'**arbres – **12.** donne **du** travail – **13.** dépense **un** argent fou.

3 **Au restaurant**

un peu **de** feu… une corbeille **de** pain… un peu **de** beurre… **de la** musique… adoucir **les** mœurs… Il y a **de l'**ambiance. Le serveur a **du** charme, **de l'**humour… **le** poisson, c'est **du** cabillaud… servi avec **des** épinards… je vais prendre **le** steak du Chef avec beaucoup **de** frites. J'ai **une** faim de loup ! Tout a changé : **le** cadre, **la** musique, **la** carte… **les** banquettes… **l'**après-midi… **des** jeunes pleins **d'**énergie… **une** brasserie tristounette avec **des** serveurs amorphes… c'est **du** Schubert ! … elle mange **du** pain, elle laisse **la** croûte… elle mange **des** œufs, elle laisse **le** jaune. Elle ne porte que **du** blanc et elle ne se teint plus **les** cheveux… remplacé par **une** colombe.

2 1. **La prudence** est la mère de **la sûreté**. – 2. Une hirondelle ne fait pas **le printemps**. – 3. L'argent est le nerf de **la guerre**. – 4. **La beaut**é plaît aux yeux, **la douceur** charme l'âme. – 5. **La guérison** est moins rapide que **la blessure**.

3 **un nouveau** médicament – **une nouvelle** invention – **un nouveau** téléphone – **un nouveau** bureau – **une nouvelle** société – **une nouvelle** recette – **une nouvelle** méthode – **un nouveau** groupe – **un nouveau** modèle – **un nouveau** rôle – **un nouveau** texte – **une nouvelle** édition – **un nouveau** parti – **une nouvelle** affaire – **un nouveau** phénomène – **un nouveau** problème – **un nouveau** système – **une nouvelle** saveur – **une nouvelle** couleur – **une nouvelle** grammaire.

4 1. **le** tour de **la** tour – 2. **un** poste à **la** poste – 3. **un** cours dans **la** cour – 4. **la** voile d'un bateau… **un** voile de couleur – 5. **le** mode d'emploi – 6. victime de **la** mode – 7 **le** manche de la casserole… **la** manche de mon pyjama.

5 1. **une** présentation intéress**ante** sur **la** gestion financi**ère** – 2. **un** virage danger**eux** à **la** sortie de **la** ville – 3. **un** groupe franç**ais**… **la** société italien**ne** – 4. **une** approche origin**ale** de **la** biologie – 5. **le** parti conservat**eur**… **les** élections **l'**année derni**ère** – 6. **une** partie de bowling très amus**ante** – 7. **une** estimation approximat**ive**… de **la** cage d'escalier – 8. **un** contraste surpren**ant**… **le** caractère réserv**é**.

6 **Une** bicyclette, **une** voiture, **un** virage, **une** collision, **une** ambulance, **un** musée, **une** exposition, **un** tableau, **une** image, **un** bateau, **un** voyage, **une** plage, **un** village, **un** rêve, **un** nuage, **un** bureau, **un** téléphone, **une** conversation, **un** agenda, **un** problème, **une** affaire, **un** risque, **une** erreur, **un** système, **un** modèle, **une** solution, **un** texte, **un** rôle.

Exemples :
Une voiture est entrée en collision avec une bicyclette dans un virage. Des témoins ont appelé une ambulance. J'ai visité un musée à Genève et j'ai vu un très beau tableau de Klimt. J'ai fait un voyage en Croatie et j'ai trouvé une plage de rêve à côté d'un petit village de pêcheurs. Je n'aime pas avoir une longue conversation sur un téléphone portable. Le journal évoque une affaire de corruption qui représente un problème pour certains membres du gouvernement. Marc a un modèle d'ordinateur qui a un système très perfectionné. L'acteur a un petit rôle dans ce film, avec un texte très court.

1 1. Construction d'un nouveau centre commercial – 2. Évacuation des villages inondés – 3. Arrestation de Martin X – 4. Création d'un nouveau parti politique – 5. Augmentation du prix du gaz – 6. Changement de la direction du journal *Le Monde* – 7. Ouverture du procès de Martin X – 8. Disparition d'une joggeuse de 32 ans près de Nice – 9. Ouverture du nouveau musée d'Art moderne – 10. Acquittement de Martin X – 11 Reddition des groupes armés rebelles – 12. Baisse de la température.

2 1. La fermeture des écoles a provoqué la colère des parents d'élèves.
2. Le départ des cyclistes du Tour de France a attiré une grande foule.
3 La blessure du capitaine de l'équipe l'empêchera de participer au prochain match.
4. La chute du gouvernement a entraîné des perturbations en Bourse.
5. La collision entre le camion et la voiture a provoqué un carambolage.
6. La victoire de l'équipe de Barcelone contre celle de Manchester la place en tête de son groupe.
7. La défaite de Lyon face à Cavaillon a surpris le monde du football.

3 **L'homme** : l'intelligence, la tendresse, la beauté, la simplicité, la douceur, l'humour, la compréhension, la générosité, l'élégance, la sensualité, la sobriété.

L'élève : le sérieux, la gentillesse, la curiosité, la sociabilité, la politesse, la franchise, l'autonomie et la bonne humeur.

L'artisan : l'efficacité, l'adresse, la propreté, la précision, la rapidité, l'honnêteté.

Le président : l'intelligence, la diplomatie, l'honnêteté, la responsabilité, le sérieux, la tolérance, le courage.

EXERCICES – page 72

1 1. J'apprécie leur **amabilité et leur discrétion**. – **2.** J'ai horreur de **la mesquinerie et de l'hypocrisie**. – **3.** Je souffre de la **chaleur et de l'humidité**. – **4.** C'est rare de nos jours, la **gentillesse et la politesse**. – **5.** Ses seuls défauts sont la **paresse et la gourmandise**. – **6.** Sa femme craint sa **violence et sa méchanceté**. – **7.** J'apprécie son **calme, son sérieux et son courage**. – **8.** On adorait son **intelligence et son humour**. – **9.** Tout le monde admire **sa beauté, sa finesse et son élégance**.

2 1. Nomination du dernier film de Malick à Cannes. – **2.** Effondrement du plafond d'un supermarché à Moscou. – **3.** Diminution du chômage au printemps. – **4.** Assassinat d'un boss de la drogue à Marseille. – **5.** Augmentation des accidents de la route en été. – **6.** Développement du commerce intérieur en Chine. – **7.** Accroissement de la tension au Proche-Orient. – **8.** Passage à l'heure d'été, le 21 mars, à minuit. – **9.** Installation d'un parc d'éoliennes en mer du Nord. – **10.** Ouverture du Salon de l'auto le 15 septembre. – **11.** Découverte d'un œuf géant de dinosaure dans les Alpes. – **12.** Retour du navigateur solitaire en Bretagne. – **13.** Signature d'une charte écologique à Oslo. – **14.** Rupture d'un barrage dans le Centre. – **15.** Licenciement de 10 000 ouvriers dans le Nord. – **16.** Chute d'un athlète sur la ligne d'arrivée , aux Jeux olympiques.

3 Nous réclamons la pénalisation de la discrimination à l'embauche, la construction des crèches en banlieue, l'interdiction des heures supplémentaires imposées, le développement de la formation professionnelle, le retrait de la réforme des retraites, l'allongement des congés de maternité et paternité, la création d'un service public de la petite enfance.

4 Je trouve insupportables la violence, la cruauté, le mépris.
Je trouve excusables le mensonge, la paresse, la gourmandise, la jalousie, la lâcheté.

EXERCICES – page 73

1 1. faire de la peinture – **2.** faire du repassage – **3.** faire du dessin/des dessins – **4.** faire de la couture – **5.** faire du rangement – **6.** faire du nettoyage/du ménage – **7.** faire du chant – **8.** faire de la natation.

2 1. faire un commentaire – 2 faire une promenade – **3.** faire des achats/des courses – **4.** faire des calculs/des comptes – **5.** faire des fautes/des erreurs – **6.** faire des études – **7.** faire des aveux – **8.** Faire des excuses.

3 **La violence à l'école**

De nouveau **le** gouvernement est confronté **au** casse-tête **de la** violence **à l'**école dans **les** quartiers **de** banlieue. … **les** gouvernements annoncent, dans **la** précipitation, **des** plans pour endiguer **le** phénomène… après **les** coups de couteau qu'**une** jeune enseignante a reçus d'**un** élève, **le** ministre **de l'**Éducation. … **des** permanences **de** policiers dans **les** établissements…

Cette annonce tend à accréditer l'idée selon laquelle l'ennemi viendrait **de** l'extérieur… **les** études montrent que **la** violence est d'abord **un** phénomène interne… dans **les** établissements…. **les** équipes pédagogiques **des** zones sensibles… **Le** ministère nomme **de** jeunes professeurs inexpérimentés… **des** recherches menées aux États-Unis, **la** mobilité trop importante **des** enseignants est davantage associée **à la** violence que **les** difficultés **des** familles.

L'idée selon laquelle **les** professeurs auraient pour seule mission **la** transmission **des** savoirs, idée très solidement ancrée **en** France, est **une** illusion. **La** France est le seul pays à avoir **des** conseillers principaux d'éducation chargés **de la** discipline, tandis que **les** futurs enseignants… sur **la** gestion **des** classes difficiles… **La** répression n'empêche pas **la** violence de **la** part **des** élèves… **L'**efficacité commanderait plutôt d'établir **une** « routine de prévention », selon **la** formule **du** sociologue…

4   *Exemple*

La violence à l'école semble frapper de nombreux pays. Des phénomènes tels que l'intimidation, l'humiliation, le bizutage ont toujours existé, mais aujourd'hui ils ont pris une ampleur nouvelle, notamment avec le cyber-bullying (harcèlement sur Internet) qui pousse parfois de jeunes élèves au suicide. Il y a aussi les agressions armées d'enseignants ou d'élèves qui peuvent tourner au massacre. Je pense que ce phénomène est difficile à expliquer. Peut-être qu'il y a une perte de valeurs (rôle de l'école, de la famille). Peut-être que cela cache un désespoir face aux difficultés du monde. Peut-être que la violence des films a une influence sur la jeunesse. Quelles solutions apporter ? Former des enseignants pour faire face à ces nouveaux comportements, aider les enfants qui sont victimes et qui ne parviennent pas à s'exprimer. Faire prendre conscience à chacun de ses responsabilités (participation passive ou active au harcèlement, non-intervention, silence, etc.).

EXERCICES – page 75

2   Avoir les yeux ronds/des yeux ronds – des yeux cruels – les/des yeux gris, – des yeux étonnés – des yeux bleus très doux, des/les yeux en amande – des yeux fascinants – des yeux de biche – des yeux immenses.

3   Elle avait des cheveux magnifiques. Vraiment de magnifiques cheveux. Elle avait des jambes superbes. Vraiment de superbes jambes. Elle avait des petits pieds adorables. Vraiment d'adorables petits pieds. Elle avait des oreilles ravissantes. Vraiment de ravissantes oreilles.

4   1. il **s'est coupé le** doigt. – 2. il **s'est rasé la** barbe – 3. vous **vous êtes cassé le** pied – 4. pense à **te laver les** dents – 5. il **se ronge les** ongles – 6. **on se serre la** main – 7. **il se frotte le** nez – 8. **je me sèche les** cheveux.

5   rejetez **les épaules** en arrière, rentrez **le ventre,** bombez **le torse,** marchez **la tête** haute… juchez-vous sur **la pointe des pieds,** ne froncez pas **les sourcils.**

6   1. Elle a une langue de vipère. – 2. elle a le cœur sur la main – 3. il a le bras long – 4. Il a un caractère de cochon. – 5. on devra se serrer la ceinture – 6. elle a eu la gueule de bois – 7. tu te mets le doigt dans l'œil – 8. Il a un poil dans la main. – 9. Arrête de te casser la tête.

EXERCICES – page 77

1   1. les voitures italiennes – 2. les grosses voitures – 3. les voitures rouges – 4. les voitures rapides – 5. les voitures confortables – 6. les belles voitures.

2   1. Une petite fleur bleue – 2. Une jolie femme blonde – 3. Un vieux balai cassé – 4. Un gros livre illustré – 5. Une haute montagne enneigée – 6. Un bon salaire mensuel – 7. Un petit chat perdu – 8. Un bon gros chien 9. Un beau petit bébé – 10. Une table basse rectangulaire – 11. Une jolie petite voiture bleue – 12. Un bel homme brun bronzé – 13. Un joli pull blanc décolleté – 14. Un vieil immeuble rose classé – 15. Un gros chien noir furieux – 16. De grands yeux noirs pétillants.

3 J'ai passé de bonnes vacances reposantes. J'étais dans une petite île grecque. Je me baignais dans une jolie crique ensoleillée. Je lisais un bon gros roman Je buvais un ouzo dans un vieux café typique. Je faisais une longue promenade agréable. Je dînais dans un petit restaurant familial. Je mangeais de délicieuses brochettes grillées. J'écoutais de belles chansons folkloriques.

4 **1.** Les deux premiers jours de vacances semblent très longs. – **2.** Les deux premières années d'école, on apprend à lire et à écrire. – **3.** Les deux derniers jours d'école, on ne travaille presque plus. – **4.** Je voudrais assister aux deux prochains spectacles en plein air. – **5.** Je n'ai pas aimé les deux derniers films de Spielborg.

5 Un très beau film ! Une œuvre extrêmement originale ! Une très bonne actrice ! Une musique absolument magnifique ! Un film tout à fait réussi !

EXERCICES – page 79

1 **Mon frère**

un homme curieux = qui s'intéresse à tout	**un curieux homme** = bizarre, étrange
différents points = plusieurs points	être **différents** = pas les mêmes/pas pareils
une seule femme = une, pas d'autres	**des femmes seules** = célibataires/solitaires
un homme grand = de grande taille	**un grand homme** = un homme célèbre
un homme pauvre = sans argent	**un pauvre homme** = qui fait pitié
de chers amis = des amis proches	**des chemises chères** = qui ont un prix élevé.
des amis qui deviennent **vieux** = âgés	**de vieux amis** = amis depuis longtemps
ne pas garder **les mains propres** = se salir les mains	construire **de ses propres mains** = soi-même
un brave homme = gentil, honnête	**un homme brave** = courageux
Mon ancien comptable = comptable précédent	**des voitures anciennes** = vieilles, antiques
des yeux tristes = pas gais	**de tristes individus** = méprisables, peu recommandables

2 **restaurant :** un petit restaurant, un beau restaurant, un restaurant bruyant, un restaurant bon marché, un nouveau restaurant, un restaurant moderne, un vieux restaurant, un restaurant confortable, un grand restaurant, un restaurant central.

hôtel : un petit hôtel, un bel hôtel, un hôtel bruyant, un hôtel bon marché, un nouvel hôtel, un hôtel moderne, un vieil hôtel, un hôtel confortable, un grand hôtel, un hôtel central.

3 un gros // hareng – un bel enfant – un vieil hôpital – un petit hélicoptère – un grand // hangar un grand homme – une // hache aiguisée – un bon ami – un bel écran plat – un grand // Hollandais un // hurlement terrible – un grand artiste – un gros // hamburger – un // hors-d'œuvre délicieux

de gros // harengs – de beaux enfants – de vieux hôpitaux – de petits hélicoptères – de grands // hangars de grands hommes – des // haches aiguisées – de bons amis – de beaux écrans plats – de grands// Hollandais – des // hurlements terribles – de grands artistes – de gros // hamburgers – des // hors-d'œuvre délicieux.

Récréation n° 3 – page 80

2 **Pas de pot**

Pas de chance : **Pas de pot** – Faire de vifs reproches : **passer un savon** – Être bon et un peu naïf/naïve : **être une bonne pomme** – Être très généreux : **avoir le cœur sur la main** – Être très paresseux : **avoir un poil dans la main** – Vivre sans souci : **se la couler douce** – Devenir fou : **perdre le Nord** – Être un peu rusé, un peu filou : **être un petit malin** – Ne pas aller à un rendez-vous : **poser un lapin** – Pardonner complètement : **passer l'éponge** – Ça n'arrivera jamais, c'est-à-dire : ça arrivera **lorsque les poules auront des dents**.

3   un chemin → **une** route – **un** foulard → **une** écharpe – **une** tentative → **un** essai – **une** thérapie → **un** traitement – **une** boutique → **un** magasin.

un soulèvement → **une** révolte – **une** discussion → **un** débat – **une** poésie → **un** poème – **un** square → **une** place – **une** combinaison → **un** mélange.

Sondage-test n° 3 – page 82

1. Classez par ordre de préférence les loisirs suivants : **le** bricolage, **le** cinéma, **le** jardinage, **le** sport.

2. Est-ce que **la** télévision vous distrait plus que **la** lecture ? Avez-vous **un** téléviseur dans votre chambre ? Est-ce que vous souffrez dans **un** appartement sans ø télévision ?

3. Aimez-vous **les** reportages, les sujets **de** société, les débats **d'**idées ? Regardez-vous **les/des** séries américaines ? Préférez-vous **les** films doublés ou sous-titrés ? Passez-vous **de** longues heures devant la télé ?

4. Écoutez-vous **de la** musique classique, **du** rock, **de la** techno ? Connaissez-vous **des** chansons françaises ? Lesquelles ? Jouez-vous **du** piano ?

5. **Le** matin, vous buvez : **du** café, **de la** tisane, **du** champagne ? Préférez-vous **le** café avec **du** sucre et un peu **de** lait, ou ne prenez-vous jamais **de** sucre **ni de** lait ?

6. Vous préparez-vous rapidement le matin ou avez-vous besoin **de** temps ? Faites-vous **du** yoga ou quelques mouvements **de** gymnastique ? Portez-vous **des** vêtements décontractés pour aller au travail ?

7. Chez un homme/une femme, vous remarquez en premier : **les** yeux, **la** silhouette, **les** chaussures, **le** sourire ?

8. Quels métiers pourriez-vous faire : chauffeur **de** taxi, ministre **de l'**Intérieur, président(e) **de la** République, professeur(e) **de** français ?

9. Classez par ordre de priorité ce qui vous paraît important dans la vie : **la** beauté, **le** courage, **la** santé, **la** chance, **l'**argent.

10. Dans votre apprentissage **du** français, pensez-vous avoir fait : **d'**énormes progrès, peu **de** progrès ou pas **de** progrès **du** tout ?

EXERCICES – page 85

2   **1. Il est** minuit, **il fait** froid et **il fait** sombre. **Il vaut** mieux rentrer en taxi. – **2. Ça** sent drôlement bon ! – C'est du curry : **ça** te plaît ? – **3.** – Arrêtez de bavarder : **ça** suffit ! **Il reste** encore 15 minutes !… – **4.** Profitez : **ça vaut** la peine ! – **5.** … il suffit de peu pour être heureux. – **6.** La réunion est reportée à demain : **ça** vous convient ? – **7. Il reste** de l'argent ? – – Non, au contraire, **il** manque 5 euros. – **8. Ça** dépend du temps. – **9.** – Regarde, **ça** marche comme ça : **il** suffit d'appuyer là ! – **10. Ça** vous dérange ? – Non, **ça** m'est égal. **Ça** ne me dérange pas.

3   **1.** Il me plaît beaucoup. – **2.** Ça me plaît beaucoup. – **3.** Il me dérange beaucoup. – **4.** Ça me dérange beaucoup. – **5.** Ça m'intéresse beaucoup.

4   Quand je suis parti pour l'aéroport, **il était** six heures, **c'était** le matin, **il était** très tôt mais **il faisait** déjà chaud. **C'était** le début de l'été et il **faisait** vingt degrés au soleil, pourtant il y **avait** un peu de vent.

5   **1.** Regarde ce nuage : **on dirait** un éléphant. – **2.** Mangez des carottes : il **paraît** que c'est bon pour la santé ! – **3.** Jean a une vie amoureuse très riche : **il paraît** qu'il s'est marié dix fois ! – **4.** Cette plante perd ses feuilles, **on dirait** qu'elle est malade. – **5.** Mon nouveau voisin est écrivain et **il paraît** qu'il a écrit plus de cent livres… – **6.** Goûtez ce vin blanc : **on dirait** du champagne !

6   **1.** Ouf, **ça y est** j'ai terminé. – **2.** Vous avez bien déjeuné : **ça a été ?** – **3. Ça alors !** Je te croyais au Canada ! – **4. Ça vaut la peine !** – **5. Ça ne se fait pas.** – **6. C'est déjà ça !** – **7.** Ce n'est pas la mer à boire. – **8. Ça roule**, Raoul.

2 Le mimosa, **c'est** beau, **ça** sent bon, **c'est** fragile, **ça** fleurit en hiver, **ça** craint le vent, **c'est** éphémère. – La mode, **ça** change souvent, **c'est** amusant, **ça** me plaît, **ça** influence mes choix, **c'est** humain.

3 **1.** Contrôler son alimentation, c'est important. Il est important de contrôler son alimentation. – **2.** Vivre sans espoir, c'est terrible. Il est terrible de vivre sans espoir. **3.** Boire du thé vert, ça fait maigrir. Ça fait maigrir de boire du thé vert. – **4.** Travailler la nuit, ça fatigue. Ça fatigue de travailler la nuit. – **5.** Prendre un bain chaud, c'est agréable. Il est agréable de prendre un bain chaud. – **6.** Gouverner, c'est difficile ! Il est difficile de gouverner. – **7.** Se garer en ville devient infernal. Ça/Il devient infernal de se garer en ville. – **8.** Fumer dans un lieu public, c'est interdit ! Il est interdit de fumer dans un lieu public. – **9.** Rester au soleil, ça abîme la peau. Ça abîme la peau de rester au soleil. – **10.** Traverser sans regarder, c'est dangereux. Il est dangereux de traverser sans regarder.

4 **1.** Le couscous, **c'est** bon à manger mais **c'est** long à préparer. – **2. Il est/c'est** risqué **de** dépasser… Une amende, **ça** coûte cher. – **3. C'est** difficile à comprendre… – **4. C'est** difficile à prévoir. – **5.** … **ça** me fatigue et **ça** me fait mal à la tête. – **6. C'est** bon à savoir ! – **7. Ça** vaut la peine **de**… – **8.** Partez avant la nuit, **ça** vaut mieux. – Oui, **il** vaut mieux…

5 **Ça, c'est** joli. **Ça**, **ça** me plaît. **Ça, ça** coûte cher. **Ça, c'est** horrible ! **Ça, c'est** trop grand. **Ça, ça** te va bien.

6 **Ça**, je l'ai déjà expliqué. **Ça**, j'en ai déjà parlé. **Ça**, je l'ai déjà raconté. **Ça**, je l'ai déjà noté. **Ça**, j'en ai déjà mangé. **Ça**, je l'ai déjà vu.

2 **1.** Dis donc, **elle est petite**, ta voiture. – une Fiat 500, **c'est petit.** – **2. il est petit**, ton studio ! **Elle est petite**, cette robe… – **3. Il est petit**, ton village ! – Oui, Sainte-Anne, **c'est petit.**

3 **1.** J'adore ton écharpe. **Elle est** chaude, **elle est** souple et **elle est** très légère… – **C'est** un cadeau… – **2.** Charles est riche. **Il est** grand, **il est** beau et **il est** célibataire… – Mais **il est** bête : **c'est** dommage… – **3.** Regarde ce bébé : **il est** mignon ! – Oui, un bébé, **c'est** mignon, mais regarde sa mère : **elle est** antipathique, et son père, **il est** affreux.

4 C'est bon, une tarte Tatin. – Elle est bonne, ta tarte Tatin. – C'est chaud, un pull en laine. – Il est chaud, ton pull bleu. – Ils sont beaux, les yeux de Marlène. – C'est beau, les yeux verts.

5 **1.** J'adore Vanessa : **elle est** magnifique. – **2.** Ne touchez pas l'assiette : **elle est** chaude. – **3.** – **C'est** une chipie, cette fille… – **4. Il est** sympathique, ton professeur ? – **5.** Ce garçon, **c'est** un ange ! – **6. Elle est** belle, ta chemise.

6 **1.** C'est un professeur/Il est professeur. C'est un grand archéologue. – **2.** C'est un député/Il est député. C'est un socialiste convaincu. – **3.** C'est un écrivain africain/Il est écrivain. Il est africain. C'est un écrivain africain musulman. – **4.** C'est un avocat/Il est avocat. C'est un démocrate américain. – **5.** C'est un journaliste/il est journaliste. C'est un trotskyste végétarien.

2   Moi, je suis de gauche. Toi, tu es de droite. Lui, il est du centre. Elle, elle est écologiste. Eux, ils sont nationalistes. Elles, elles sont anarchistes.

3   C'est moi qui ai réparé l'ordinateur. – C'est moi qui ai fait le café. – C'est moi qui suis chargé(e) de ce dossier. – C'est moi qui vais rester ce soir. – C'est moi qui vais m'occuper du courrier. – C'est moi qui ai rédigé le rapport.

4   **1.** Moi qui adore le cinéma, j'y vais le plus souvent possible. – **2.** Eux qui sont jeunes, ils s'ennuient à la campagne. – **3.** Toi qui as un chien, tu comprends les animaux. – **4.** Lui qui est instituteur, il peut vous parler d'éducation.

5   **1.** … c'est vous qui **avez oublié** ce sac ? – **2.** C'est moi qui **irai chercher** te chercher. – **3.** C'est nous qui **sommes** les plus vieux ! – **4.** C'est vous qui **avez appelé** ? – **5.** … c'est moi qui **ai fait** la cuisine.

6   **1.** Eh bien partons sans **eux**. – **2.** Et voilà : **moi** qui pensais… – **3.** … **lui** qui connaît le quartier… – **4.** il faut s'occuper de **soi**, prendre soin de **soi**… – **5.** Mon mari et **moi**… les enfants, **eux**… – **6.** … ça n'arrive qu'à **moi** ! – **7.** … rentrer chez **soi**. – **8.** et **toi**, tu aimes ça ? – **9.** … **moi**, je m'assois devant, mon mari, **lui**, s'assoit au fond.

1   **1.** Il m'a dit « Bonjour ! » Je lui ai dit « Hello ! » – **2.** Il m'a envoyé un mail. Je lui ai envoyé un texto. – **3.** Il m'a parlé de sciences. Je lui ai parlé de philo. – **4.** Il m'a montré ses dessins. Je lui ai montré mes photos. – **5.** Il m'a prêté sa moto. Je lui ai prêté mon vélo. – **6.** Il m'a offert des livres. Je lui ai offert un tableau. – **7.** Il m'a dit « Bye bye ! » Je lui ai dit « Ciao ! »

2   Parler **à** – Attendre ø – Chercher ø – Écrire **à** – Sourire **à** – Écouter ø – Téléphoner **à** – Inviter ø – Aimer ø.
Je lui ai parlé. Je l'ai attendu(e). Je l'ai cherché(e). Je lui ai écrit. Je lui ai souri. Je l'ai écouté(e). Je lui ai téléphoné. Je l'ai invité(e). Je l'ai aimé(e).

3   Il l'énerve. Il l'agace. Il lui plaît. Il l'amuse. Il l'attire. Il lui ressemble. Il l'exaspère. Il l'intéresse. Il lui manque.

4   **Amoureuse**
Elena est amoureuse de David. C'est un garçon merveilleux. Il lui téléphone dès qu'elle se réveille pour lui dire « bonjour ». Parfois, il lui chante une petite chanson. Tous les soirs, il lui écrit de longs mails où il lui raconte sa journée. Elle découvre ses lettres le matin ; ça lui fait toujours un petit coup au cœur quand elle voit son nom s'afficher sur l'écran. David lui parle de tout : des livres qu'il lit, des films qu'il voit. Il lui envoie des photos de sa famille. Il lui demande des conseils. Il lui fait confiance et il lui parle souvent de ses problèmes de travail. Il l'a aussi présenté(e) à son meilleur ami.
David lui dit souvent qu'elle est belle et qu'il l'attendait depuis toujours. Il lui manque dès qu'ils se quittent. Samedi dernier, il l'a emmenée au cinéma voir *La Môme*, qui parle de la vie d'Édith Piaf. Quand elle a chanté « la Vie en Rose », il l'a serrée contre lui, il lui a embrassé les mains et elle a eu les larmes aux yeux… Ah, elle aussi : « quand il la prend dans ses bras, qu'il lui parle tout bas, elle voit la vie en rose » et quand « il lui dit des mots d'amour, des mots de tous les jours, ça lui fait quelque chose ».

1 **Petit frère**

L'enfant pleure : sa maman **l'**a puni… il **lui** a griffé la joue, il **lui** a pris ses jouets et il **lui** a donné un coup de pied… son petit frère **l'**a remplacé… Il est persuadé qu'elle ne **l'**aime plus et il veut **lui** montrer… la maman **le** prend dans ses bras, elle **l'**embrasse très fort, elle **lui** caresse le visage et elle **lui** ébouriffe les cheveux. Puis elle **le** console en **lui** disant qu'elle **l'**aime et en **lui** expliquant que son petit frère **l'**admire, et qu'il doit **lui** montrer l'exemple.

2 **1.** Elle **le** caresse. Elle **lui** caresse la joue. – **2.** Elle **l'**embrasse. Elle **lui** embrasse la main. – **3.** Elle **le** masse. Elle **lui** masse les pieds. – **4.** Elle **le** lave. Elle **lui** lave les cheveux.

3 *Exemples :*

1. Il lui a couru après **sur le parking**. – **2.** Il lui est passé devant **à la boulangerie**. – **3.** Elle lui est tombée dessus **dans la rue**.

4 *Exemples :*

Il a offert des fleurs **à Louise**. Il lui a offert **des roses**. – Il a emprunté de l'argent **à son ami**. Il lui a emprunté **1 000 euros**. – Il a donné **des conseils à son fils**. Il lui a donné **de bons conseils**. – Il a apporté **un cadeau à Paul**. Il lui a apporté **un livre**.

5 J'ai changé l'ampoule… Je l'ai changée trois fois cette semaine. – J'ai invité mes enfants… Je les ai invités trois fois cette semaine… – J'ai croisé la jolie fille… Je l'ai croisée trois fois cette semaine. – J'ai téléphoné au dépanneur… Je lui ai téléphoné trois fois cette semaine. – J'ai prêté ma garçonnière à Roger. Je la lui ai prêtée trois fois cette semaine.

6 **Sondage : les bonnes manières**

collègue : vous **lui** dites bonjour, vous **lui** serrez la main, vous **l'**embrassez – chien : vous **le** caressez, vous **le** chassez, vous **lui** parlez – musicien : vous **l'**écoutez, vous **l'**ignorez, vous **lui** donnez une pièce – une jolie personne : vous **lui** souriez, vous **la** suivez, vous **lui** donnez votre numéro de portable – enfants mal élevés : vous **les** grondez, vous **leur** faites la morale, vous **les** giflez – touristes perdus : vous **leur** montrez le chemin, vous **les** accompagnez.

1 **1.** Ce cahier **appartient à** Max ? – Oui, il **lui appartient**… – **2.** Ton fils **ressemble à** son grand-père ! – Oui, il **lui ressemble** énormément… – **3.** Qui va **succéder au** directeur ? – C'est son neveu qui va **lui succéder**… – **4.** Le chien est un animal qui **obéit à** son maître. Parfois il **lui obéit** jusqu'à la mort. – **5.** Est-ce que ces vieux torchons **servent à** la femme de ménage ? – Oui, ne les jette pas, ils **lui servent à** nettoyer le sol. – **6.** Est-ce que 1 000,00 euros **suffisent à** ton fils ? – Non, ça ne **lui suffit** pas. – **7.** – Je trouve que le violet **va** bien avec les yeux de ta fille. – Oui, c'est vrai, ça **lui va** bien.

2 **Une agression**

B. : … il **l'**a interrogée parce qu'un jeune homme **l'**a agressée hier soir… L'homme **l'**a suivie… et il **lui** a raconté des trucs bizarres. Il **lui** a dit qu'il voulait juste **la** regarder **l'**admirer et **la** prendre en photo, qu'il **la** suivait depuis des semaines et qu'elle **lui** plaisait beaucoup. … qu'elle **lui** ressemblait incroyablement, et qu'il allait **la** rendre célèbre… mais il **l'**a rattrapée dans l'entrée de l'immeuble, il **l'**a coincée contre un mur et il **l'**a menacée… **A.** : Il **l'**a blessée ? Il **lui** a fait mal ? **B.** : … Elle **lui** a jeté son sac à la figure, elle **lui** a envoyé un coup de pied… et elle **lui** a arraché le couteau des mains… elle **lui** a couru après, elle **l'**a plaqué au sol, elle **lui** est montée dessus pour **l'**immobiliser et elle a appelé la police. **A.** : Alors, ça **lui** a servi, ses cours de karaté…

1. Le policier a interrogé la voisine parce qu'elle a été agressée.
2. L'homme lui a raconté qu'elle ressemblait à Marilyn Monroe et qu'il voulait la prendre en photo.
3. Il l'a agressée dans l'entrée de son immeuble.
4. Il ne lui a pas fait mal parce qu'elle s'est bien défendue.
5. Elle lui a jeté son sac à la figure, elle l'a plaquée au sol et elle lui est montée dessus.

3 *Exemples*

Des voleurs ont cambriolé un appartement, mais ils ont laissé la porte ouverte. Un voisin qui descendait les a vus. Il a appelé la police et il leur a expliqué la situation. La police est arrivée et les a pris en flagrant délit. Elle les a emmenés au commissariat.

EXERCICES – page 97

2 **Le bon professeur**

Il **leur** explique tout... Il **les** interroge sans **les** stresser. Il **leur** donne des conseils, il **les** aide à trouver les bonnes réponses, il **les** intéresse, il **les** fait rire, il **leur** parle de tout, il **les** encourage, il **leur** permet de se détendre.

Les bons élèves

Ils **le** saluent... Ils **l'**écoutent... Ils **lui** posent beaucoup de questions. Ils **lui** montrent... Ils **lui** demandent... Ils **lui** obéissent facilement car ils **le** respectent et ils **lui** font confiance.

3 Me voilà ! – Le voilà ! – Les voilà ! – La voilà ! – Les voilà ! – Nous voilà !

4 **Copains**

- Eh bien, je **l'**ai remboursé en partie : je **lui** ai remboursé la moitié de ce que je **lui** devais.
Je **lui** donnerai le reste… Il a dit que ça **lui** suffisait pour le moment. Pour **le** remercier, je **l'**ai invité…

5 Je l'ai poussé(e) à partir. – Je l'ai encouragé(e) à partir. – Je l'ai amené(e) à partir. – Je l'ai persuadé(e) de partir. – Je lui ai ordonné de partir. – Je lui ai interdit de partir. – Je lui ai suggéré de partir. – Je l'ai obligé(e) à partir. – Je l'ai convaincu(e) de partir. – Je l'ai empêché(e) de partir. – Je l'ai invité(e) à partir. – Je l'ai autorisé(e) à partir.

6 *Exemples*

Il a suggéré à Julie de changer de coiffure. Il lui a suggéré de changer de coiffure.
Il a conseillé à son ami de prendre des congés. Il lui a conseillé de prendre des congés.
Il a défendu à son fils de fumer dans sa chambre. Il lui a défendu de fumer dans sa chambre.
Il a promis à ses enfants d'aller à Disneyland. Il leur a promis d'aller à Disneyland.
Il a ordonné aux élèves de se taire. Il leur a ordonné de se taire.
Il a reproché à la journaliste d'être agressive. Il lui a reproché d'être agressive.
Il a proposé à ses amis d'aller au cinéma. Il leur a proposé d'aller au cinéma.
Il a permis à sa fille de sortir seule. Il lui a permis de sortir seule.
Il a demandé à Marie de l'épouser. Il lui a demandé de l'épouser.

EXERCICES – page 99

2 *Exemples*

1. J'en ai un dans ma chambre et un dans le salon. / Je n'en ai qu'un. – 2. J'en mets tous les jours. / Je n'en mets jamais. – 3. J'en ai pris une fois ou deux. / Je n'en ai jamais pris. / J'en ai pris avant de prendre l'avion pour éviter le décalage horaire. – 4. Bien sûr, j'y crois encore. / Non, malheureusement, je n'y crois plus. – 5. Oui, j'adore ça. / Non, je n'aime pas ça. – 6. – Je le bois très chaud mais pas brûlant. – 7. J'en bois deux

ou trois. – **8.** J'en ai un gros. / Je n'en ai pas. – **9.** J'y ai joué deux ou trois fois. / Je n'y ai pas souvent joué. – **10.** Je n'en ai aucune. / J'en ai une de mon fils/de mon mari/de ma femme. – **11.** – Je ne lui ressemble pas du tout. – **12.** Je ne les fréquente pas. / J'en fréquente certains. – **13.** J'y accorde beaucoup d'importance.

3 **1.** Je tiens à lui. / J'y tiens. – **2.** Je m'intéresse à lui. / Je m'y intéresse. – **3.** J'en suis fier. / Je suis fier d'elle. – **4.** Je me méfie d'eux. / Je m'en méfie. – **5.** J'en parle. / Je parle d'eux. – **6.** Je m'en occupe /Je m'occupe d'eux. – **7.** Je me souviens de lui. / Je m'en souviens. – **8.** Je m'oppose à lui. / Je m'y oppose. – **9.** Je me fie à lui. /Je m'y fie. –**10.** J'en ai besoin. / J'ai besoin de lui.

4 Il pense à elle, mais elle ne pense pas à lui. Il s'est attaché à elle, mais elle ne s'est pas attachée à lui. Il tient à elle, mais elle ne tient pas à lui. Il s'intéresse à elle, mais elle ne s'intéresse pas à lui. Il fait attention à elle, mais elle ne fait pas attention à lui. Il est fou d'elle, mais elle n'est pas folle de lui.

5 Il est professeur depuis un an. Moi, je le suis depuis 10 ans. – Il est marié depuis 2 mois. Moi, je le suis depuis 8 ans. – Il est enrhumé depuis hier. Moi, je le suis depuis la semaine dernière.

EXERCICES – page 101

1 **1.** La voisine de madame Michel **la remercie**. – **2.** Le professeur de piano de Judith **la félicite**. – **3.** Mlle Fox, la secrétaire de Mme Crow **la flatte**. – **4.** La maman de Noé **l'encourage**. – **5.** Le professeur de maths de Lucas **l'interroge**. – **6.** Le voisin de Mlle Barros **la menace**. – **7.** La concierge de M. Simonot **le prévient**. – **8.** L'ami de Joseph **le rembourse/lui rembourse son argent**.

2 **1.** Oui, je l'ai lue attentivement ! – **2.** Oui, je lui ai répondu immédiatement. – **3.** Oui, je m'y oppose complètement. – **4.** Non, je m'en sers rarement. – **5.** Oui, je m'en moque gentiment. – **6.** Oui, j'en prends régulièrement. – **7.** Oui, j'y tiens énormément. – **8.** Non, je la vois rarement. – **9.** Oui, il lui plaît, inexplicablement. – **10.** Oui, je m'en moque royalement. – **11.** Oui, il lui ressemble incroyablement.

3 **Avant le départ**
– Oui, j'y suis allé(e). – Oui, j'y suis passé(e). – Oui, j'en ai retiré. Oui, je les ai mises dans le coffre. – Oui, j'en ai mis. – Oui, j'en ai pris quelques-uns. – Oui, je les ai fermés. – Oui, je m'en suis occupé(e). – Oui, je lui ai tout expliqué. – Oui, j'y ai pensé. – Oui, je le sais. – Oui, j'en suis sûr(e).

EXERCICES – page 103

2 **1.** Tu devrais inviter tes voisins. – Justement, je les ai invités hier soir ! – **2.** Tu devrais téléphoner à ta tante. – Justement, je lui ai téléphoné ce matin ! – **3.** Tu devrais faire un peu de café. – Justement, j'en ai fait il y a deux minutes ! – **4.** Tu devrais aller à la piscine. – Justement, j'y suis allé(e) jeudi dernier.
5. Tu devrais voir tes parents. – Justement, je les ai vus hier matin.

3 **1.** tu vas te brûler… elle va se couper – **2.** c'est son fils qui va lui succéder – **3.** je vais y aller tout de suite – **4.** je vais les imprimer – **5.** je vais te montrer **6.** ils vont se réveiller – **7.** Je vais la laver – **8.** Michel va m'accompagner.

4 Oui, ça peut se dire. – Oui, ça peut se faire. – Oui, ça peut s'expliquer. – Oui, ça peut se comprendre.

5 **Mes voisins**
Le bébé est malade et je **l'ai entendu** pleurer toute la nuit… je **les ai entendus** se disputer… je **les ai vus** s'embrasser… ils **les laissent** fumer et boire… la fumée **les fait** tousser… nous **l'avons fait** repeindre…

1 **1.** Si, tu **me l'as donné** – **2.** Ah non, **tu me l'as déjà empruntée** hier – **3.** - Oui, **elle me l'a envoyée** par SMS. – **4.** Oui, je **les lui ai rendues** ce matin. – **5.** Oui, on **me l'a présenté** hier matin. – **6** Non, il n'a pas voulu **m'en donner.** – **7.** Je **te le prête** – **8.** Je **vous le promets.** – **9.** Oui, je **le lui ai donné / Je lui ai donné** (oral) il y a cinq minutes. – **10.** – Oui, **je lui en donne** tous les mois. – **11.** – Oui, **il m'en a parlé** pendant le déjeuner. – **12.** Attends, **je vais te les montrer.**

2 Amuse-toi bien ! Dépêche-toi ! Assieds-toi ! Habille-toi ! Installe-toi ! Réveille-toi ! Prépare-toi ! Concentre-toi !

3 Ne vous fâchez pas. Ne vous énervez pas. Ne vous inquiétez pas. Ne vous faites pas de souci. Ne vous laissez pas faire.

4 **Avant le dîner**
Léa . **Prends-en** deux. … Léa : **Envoie-le-lui** par SMS, s'il te plaît   Léa : D'ailleurs **je n'en mets** jamais. … Allez, allez **dépêche-toi !** … Léa : **Prends-en** trois cents grammes.

5 **1.** Oui, **prends-en deux.** – **2.** Oui, **dis-le lui.** – **3.** Oui, **imprime-les**. – **4.** Non, **ne l'éteins pas**.

6 **1.** Oui, **faites-le entrer**. – **2.** Non, **ne le laissez pas sortir**. – **3.** Oui, **faites-les patienter.** – **4.** Non, **ne le faites pas réchauffer !**

1 **1.** Est-ce que vous regardez les séries télévisées ? – Oui je les regarde. / Non, je ne les regarde pas. – **2.** Est-ce que vous écoutez les nouvelles tous les jours ? – Oui, je les écoute… / Non, je ne les écoute pas tous les jours. – **3.** Est-ce que vous éteignez votre son ordinateur le soir ? – Oui, je l'éteins le soir. / Non, je ne l'éteins pas le soir. – **4.** Est-ce que vous jetez les vieux journaux ? – Oui, je les jette. / Non, je ne les jette pas.

2 **1.** Est-ce que vous avez regardé les séries « Mad Men » et « Dr House » ? – Oui je les ai regardées. / Non, je ne les ai pas regardées. – **2.** Est-ce que vous avez écouté les nouvelles ce matin ? – Oui, je les ai écoutées. / Non je ne les ai pas écoutées. – **3.** Est-ce que vous avez éteint votre ordinateur hier soir ? – Oui, je l'ai éteint. / Non, je ne l'ai pas éteint. – **4.** Est-ce que vous avez jeté les vieux journaux ? – Oui, je les ai jetés. / Non, je ne les ai pas jetés.

3 **1.** Non, je ne l'ai pas vu et je ne lui ai pas téléphoné. – **2.** – Non, je ne l'ai pas pris. – **3.** Non, ça ne me dérange pas. – **4.** Non, je ne le répéterai pas. – **5.** Non, je n'en ai plus besoin. – **6.** Non, tu ne me l'as pas racontée. – **7.** Non, il ne s'en est jamais douté. – **8.** Non, tu ne m'en as pas parlé. – **9.** Non, tu ne me l'as pas dit. – **10.** Non, je n'en mets jamais.

4 **1.** je ne peux pas y aller… – **2.** je ne veux pas lui téléphoner – **3.** Je n'aime pas en parler. – **4.** Je ne veux pas (le) lui prêter. – **5.** je n'ose pas lui en demander – **6.** je ne peux pas te le dire – **7.** je ne sais pas le danser – **8.** Je ne peux pas lui en donner. – **9.** je ne veux pas en parler.

1 Renseignements

Quelqu'un est devant la porte de notre immeuble. Quelqu'un d'étrange.

– Vous cherchez quelque chose ?

– Non, dix minutes à peine. Vous pouvez prendre un bus. N'importe lequel. Ils y vont tous. Vous vous arrêtez à la station Place d'Italie. Puis vous demandez où se trouve l'avenue. N'importe qui vous indiquera le chemin. … je me souviens tout à coup qu'il y a quelque chose qui cloche dans mon ordinateur.

2 1. avec **quelqu'un** que je ne connais pas. – 2. - Vous désirez boire **quelque chose** ? – 3. Ne dis pas **n'importe quoi**. – 4. J'ai déjà vu cet homme **quelque part** – 5. **n'importe qui** peut y participer. – 6. – Tu fais **quelque chose** pour l'anniversaire d'Isabelle ? – 7. On peut les acheter **n'importe où**. – 8. **N'importe qui** peut le faire changer d'avis. – 9. – Vous pouvez passer **n'importe quand** – 10. J'ai laissé mes lunettes **quelque part** – 11. **N'importe quoi**. Ce que tu as. – 10. tu t'habilles **n'importe comment**.

3 1. Ma fille sort avec **n'importe qui**. Elle se confie à **n'importe qui**. – 2. **Quiconque** veut faire de la politique – 3. Nous enverrons une documentation à **quiconque** nous en fera la demande. – 4. **N'importe qui** entre ici comme dans un moulin ! – 5. **quiconque** veut être célèbre peut s'exhiber sur Internet.

4 1. **N'importe quel** bus peut vous conduire à la gare. Vous pouvez prendre **n'importe lequel**. – 2. Vous pouvez rentrer à la pension à **n'importe quelle** heure. – 3. Mon père fait sa promenade tous les jours, **par n'importe quel** temps. – 4. Prends **n'importe laquelle**, elles sont toutes délicieuses ! – 5. Pour une raison **quelconque**, la lumière s'est éteinte – 6. Vous pouvez nous poser **n'importe quelles** questions. – 7. Mets **n'importe laquelle** : elles sont jolies toutes les deux. – 8. les autorités ont annulé le festival sous un prétexte **quelconque**.

2 1. **Quelqu'un** a oublié son portable – 2. Oui, j'en ai entendu **quelques-unes**. – 3. Non, il manque encore **quelques** personnes. – 4. Non, il en reste encore **quelques-unes**. – 5. C'est vraiment **quelqu'un** d'extraordinaire. – 6. **Quelques-uns** sont vraiment très beaux.

3 1. **chacun** paye sa part – 2. **chaque** participant – 3. 15 euros **chacun** – 4. nous avons **chacun** des goûts différents – 5. **Chacune de** mes filles… et **chaque** garçon – 7. Donnez-m'en trois de **chaque**.

4 Dans la classe de langue

Certains étudiants sont anglophones **d'autres** sont hispanophones ou arabophones. Ils viennent de **différents** pays et de **différentes** cultures. C'est ce qui rend le cours intéressant. Chacun expose son point de vue et écoute celui **des autres** ? **Certains** étudiants sont bavards, **d'autres** sont timides. Les cours sont toujours **différents** les uns **des autres**. Les étudiants ont tous fait beaucoup de progrès. Quelques-uns **d'entre eux** parlent maintenant sans accent. Chacun **d'eux/d'entre eux** a enrichi son vocabulaire et a acquis plus d'assurance.

5 1. Nous avons vu des films / différents films / plusieurs films. – 2. Nous avons acheté des parfums / différents parfums / plusieurs parfums. – 3. Nous avons invité des amis / différents amis / plusieurs amis. – 4. Nous avons visité des appartements / différents appartements / plusieurs appartements.

6 1. Il y en a trois de cassés. – 2. Il y en a plusieurs de libres. – 3. Il y en a six de réservées. – 4. Il y en a deux de nouveaux.

2 Tout est à vendre ! Emportez tout ! Tout pour rien ! Venez tous ! Tout doit disparaître ! Nos produits sont tous de qualité, et il y en a pour tout le monde !

3 Trois jours de vacances, **c'est tout ce que j'ai pris**. – 2. Une pomme, **c'est tout ce que j'ai mangé**. – 3. Un verre d'eau, **c'est tout ce que j'ai bu**. – 4. Quinze euros, **c'est tout ce que j'ai gagné / c'est tout ce qui me reste**. – 5. Deux exercices, **c'est tout ce que j'ai fait**.

4 1. **Tous** les hommes… **mais ils deviennent tous** presbytes. – 2. **Tous** les chemins… **mais ils mènent tous** quelque part. – 3. **Tous** les acteurs… **mais ils sont tous** narcissiques. – 4. **Toutes** les boutiques… **mais elles ferment toutes** avant neuf heures du soir. – 5. **Tous** les dentistes… **mais ils sont tous** chers.

5 1. **Tous** les enfants ont la grippe : ils toussent **tous**. – 2. **tout** le contenu du congélateur a dégelé. J'ai **tout** jeté. – 3. **Tout** le monde connaît… mon fils les connaît **tous**. – 4. Mes frères sont **tous** les deux Scorpion et leurs femmes sont **toutes** les deux Taureau. – 5. Mes amis ont dormi **toute** la matinée, ils ont fait la sieste **tout** l'après-midi et ils se sont **tous** réveillés pour le dîner. – 6. On ne vous a pas **tout** dit. Moi, je vous dirai **tout**.

6 **Prononciation du "s" final**
Ils sont tous là. (oui) – Je les connais tous. (oui) – Tous mes amis parlent anglais. (non) – Ils sont tous sympathiques. (oui) – Ils appellent tous les soirs. (non) – On part tous ensemble. (oui) – J'ai pris tous les livres. (non) – Je les ai tous lus. (oui) – Venez tous ici ! (oui).

7 Je les aime toutes ! – Je les connais tous. – Je voudrais tous les visiter. – Je compte tous les faire.

2 Vos yeux sont **tout** rouges, vos ongles **tout** cassants, vos cheveux **tout** plats, vos lèvres **toutes** gercées, vos mains **toutes** sèches, votre peau **tout/toute** abîmée.

3 **Un clochard.** *Exemples*
Il a le visage tout ridé/rouge/pâle. Les mains tout/toutes abîmées/enflées. Les lèvres toutes gercées. La voix tout/toute éraillée. Ses vêtements sont tout sales/froissés/troués.

4 Ils semblent tout surpris. Elles semblent toutes surprises. – Ils semblent tout étonnés. Elles semblent tout étonnées. – Ils semblent tout tristes. Elles semblent toutes tristes. – Ils semblent tout heureux. Elles semblent tout heureuses. – Ils semblent tout émus. Elles semblent tout émues. – Ils semblent tout honteux. Elles semblent tout honteuses.

5 **Emma**
Tous les ans,… et nous revenions **tout** excités … Emma était une vieille dame **toute** petite, toujours **tout/toute** habillée de noir mais, contre **toute** attente,… nous étions **tout** yeux, **tout** oreilles…. Elle s'était occupée de **tout** ce petit monde jusqu'à sa rencontre avec Eusèbe, un grand garçon **tout** fou, comédien ambulant, pour qui Emma avait **tout** laissé… avec l'amour pour **tout** bagage.

6 1. Les fleurs sont **toutes** fanées. – 2. Repas servis à **toute** heure. – 3. Marie est **toute** triste. – 4. **Tout** homme est mortel. – 5. Tes pieds sont **tout** froids. – 6. **Tout** enfant a besoin d'amour. – 7. Il a un sac pour **tout** bagage. – 8. **Tout** travail mérite salaire. – 9. Léa est jolie comme **tout**.

7 1. mais **il a tout joué** aux courses. – 2. Tu as **tout mangé** ? – 3. Les voleurs sont entrés et ils **ont tout pris** ! – 4. elle est **toute froissée**. – 5. Oui, je **les ai tous lus**.

2 1. … un musicien **qui** joue comme un dieu et **que** je ne connaissais pas. – **2.** … un disque **qui** est passé à la radio **qui** vient de sortir et **que** je voudrais acheter. – **3.** … un appartement **qui** se trouve dans mon quartier, **que** j'ai visité et **qui** me plaît beaucoup. – **4.** … une robe **qui** a appartenu à ma grand-mère, **que** j'ai essayée et **qui** me va très bien ! – **5.** … un ami **qui** habite au Chili, **que** je n'ai pas vu depuis longtemps et **que** j'aime beaucoup.

3 1. le chanteur **qui** chante… et **qui** a composé… – **2.** des oiseaux **qu'**attirent tous les objets **qui** brillent. – **3.** Les vêtements **que** porte Margot… des vêtements **qu'**elle transforme à son goût. – **4.** … l'horrible chien **qu'**ont acheté les voisins… un petit caniche **qui** aboie nuit et jour. – **5.** l'écharpe **qu'**avait tricotée ma grand-mère et **que** je portais tous les hivers. – **6.** la couleur **qui** convient le mieux… c'est une couleur **qui** ne me va pas du tout. – **7.** Cette émission, **qui** est très intéressante et **que** présente un animateur intelligent… – **8.** Le livre **qu'**a écrit Anne Franck… C'est un document **qui** est bouleversant.

4 C'est un vélo qui est léger, qui n'est pas encombrant et qu'on peut plier. – C'est une voiture qui consomme peu, qui ne fait pas de bruit et que vous pouvez garer n'importe où. – C'est une télé qui ne prend pas de place, que vous pouvez orienter et qui a une bonne image. – C'est un téléphone portable qui est extra-plat, qui a un GPS et qu'on ne doit pas recharger souvent. – C'est une montre qui est belle, dont on ne doit pas recharger les piles et dont vous aimerez le design.

1 Non, c'est un parfum qui ne me plaît pas du tout. – Non, c'est une émission qui ne m'intéresse pas du tout. – Non, c'est une couleur qui ne te va pas du tout. – Non, c'est une radio qui ne marche plus du tout. – Non, c'est un comique qui ne m'amuse pas du tout.

2 C'est un film **qui** passe souvent à la télé, **que** j'ai vu cinq fois, **qui** est très amusant, **que** tout le monde connaît, **qu'**adore mon père, **dont** j'ai raté le début, **que** j'ai trouvé génial, **dont** j'ai oublié le titre, **dont** je cherche le DVD.

3 C'est quelque chose **que** j'achète dans un kiosque, **que** je lis dans le métro, **qui** donne des informations, **dont** on se sert pour allumer un feu de cheminée. (réponse : un journal)

C'est quelque chose **que** l'État fabrique, **dont** tout le monde a besoin, **qui** fait vivre les banques, **qui** « ne fait pas le bonheur » (réponse : l'argent)

C'est quelque chose **qui** est jaune, **qu'**adorent les singes, **qui** pousse au soleil, **dont** on pèle la peau. (réponse : une banane)

4 1. Les personnes **dont** les bagages pèsent plus de 5 kg – **2.** L'appartement **dont** les fenêtres donnent sur le parc – **3.** Les voitures **dont** la consommation dépasse 15 litres au cent – **4.** Les immeubles **dont** la façade est trop sale – **5.** Les yaourts **dont** la date est périmée depuis plus d'une semaine – **6.** Les billets de Loto **dont** le numéro commence par 21…

5 1. … voitures électriques **qui** ont une autonomie… et **que** l'on peut laisser… une initiative **qui** est appréciée – **2.** … les vêtements **qui** ne lui vont plus, les accessoires, **qu'**elle ne porte plus et les objets **dont** elle ne se sert plus – **3.** … des petits gâteaux **qu'**adore ma grand-mère… des viennoiseries **dont** la pâte est sucrée et **qui** ont une forme de chou – **4.** … les dessins **qu'**a faits ma petite fille. Il y en a un **qui** me plaît… un dessin **qui** représente un hibou et **qui** est très expressif – **5.** … un outil **qui** est très solide, **que** j'entretiens, **que** j'emporte partout et **dont** je ne peux plus me passer…

1 **1.** C'est un livre **dont** j'ai entendu parler et **que** je cherche partout. – **2.** C'est un secteur **dont** je suis responsable et **que** je dirige depuis 2 ans. – **3.** C'est un auteur **dont** j'aime le style et **dont** j'ai lu tous les livres. – **4.** C'est une fille **que** je connais depuis 2 mois et **dont** je suis fou. – **5.** C'est une voiture **que** j'ai achetée il y a 6 mois et **dont** je suis très content. – **6.** C'est un ami **qui** est très proche et **dont** j'attends la venue.

2 **1.** Je parle trois langues **dont** l'anglais. – **2.** Je travaille cinq jours par semaine, **dont** le samedi. – **3.** Il y a 20 personnes dans ma classe **dont** la moitié vient d'Europe. – **4.** Je dépense 800 euros par mois **dont** 500 euros de loyer. – **5.** Je connais trois pays européens **dont** l'Italie fait partie.

3 **1.** des pays **où**… – **2.** une époque **où**… – **3.** La fenêtre **par où**… – **4.** L'herbe n'a plus repoussé **là où**… – **5.** Appelez-moi le jour **où**… – **6.** Le pays **d'où** je viens… – **7.** « La liberté des uns s'arrête **là où**… ».

4 Des ouvriers d'un chantier du Havre ont découvert une bombe **qui** datait de la Seconde Guerre mondiale. Les démineurs ont fait exploser la bombe **dont** le poids était de 500 kg.

Une femme a accouché dans le taxi **qui** l'emmenait vers la maternité, à 4 heures du matin, à Montréal. C'est dans une ruelle **où** le taxi s'est arrêté **que** le bébé a vu le jour. / Une femme **qui** se dirigeait vers la maternité à 4 heures du matin, à Montréal, a accouché dans un taxi. Le taxi s'est arrêté dans une ruelle **où** le bébé a vu le jour.

Une vieille dame a chassé à coups de rouleau à pâtisserie le cambrioleur **qu'**elle avait trouvé en train de fouiller dans sa chambre et **qui** était entré par la fenêtre.

2 Bénie soit l'école dans **laquelle** j'ai suivi des cours grâce **auxquels** je peux m'exprimer dans une langue sans **laquelle** je ne pourrais pas connaître le pays de l'homme avec **lequel** j'ai choisi de vivre, pour **lequel** j'ai quitté mon pays et auprès **duquel** je me sens si bien.

3 **Un restaurant à la mode**
Le restaurant **dans lequel** je travaille est ultramoderne. La porte **par laquelle** on entre est en verre bleu. Les poufs **sur lesquels** on s'assoit sont en fourrure verte. Les pinces **avec lesquelles** on mange sont en bois africain. Les serviettes **avec lesquelles** on s'essuie sont en soie noire. Les verres **dans lesquels** on boit sont en plastique.

4 **Un cambriolage**
Voilà le vasistas **par laquelle le voleur est entré.** On a retrouvé l'aérosol **avec lequel il a endormi le gardien.** Voilà la pièce **dans laquelle/où il a enfermé les employés.** Il a abandonné les outils **avec lesquels** il a forcé le coffre. On a pris des photos du mur **sur lequel il a laissé une inscription.** Voilà la fenêtre **par laquelle le voleur s'est enfui.**

5 **1.** le banc **sur lequel** – **2.** le médicament **grâce auquel** – **3.** le défi **auquel** – **4.** un sentiment **sans lequel** – **5.** un site **sur lequel** – **6.** un fleuve **le long duquel** – **7.** un ourson en peluche **auquel** – **8.** Le guichet **auquel** – **9.** une chose **à laquelle** – **10.** La personne **pour laquelle**… quelqu'un **en qui** j'ai – **11.** quelque chose **contre lequel** – **12.** des abris **sous lesquels**…

1   Hôtel de charme
… l'hôtel **dont** je t'avais parlé… et **dont** j'avais perdu l'adresse… au dos **duquel** je l'avais noté… une pièce **dont** les fenêtres… un jardin au fond **duquel**… une petite cabane **dont** j'aperçois le toit … un ruisseau au bord **duquel**… et **dont** j'entends le clapotis … quatre chambres **dont** deux sont occupées…

2   1. … celle **à laquelle** on s'est préparé. – **2.** … la raison **pour laquelle** les femmes… – **3.** … deux ou trois **auxquels** il envoie… – **4.** La tâche **à laquelle**… – **5.** … la seule profession **pour laquelle**…

3   *Exemples*
Un accident – L'échafaudage sur lequel travaillaient des ouvriers du bâtiment s'est effondré. On avait installé quelques minutes auparavant des filets de protection grâce auxquels tous les ouvriers ont pu être sauvés.
Un trésor – Des enfants jouaient dans une cave (appartenant à une voisine et) dans laquelle se trouvaient de vieux objets. Ils ont soulevé de vieilles couvertures sous lesquelles était cachée une malle ancienne dans laquelle/où se trouvaient des pièces d'or datant du seizième siècle.
Un jardin – La police a démantelé une serre à l'intérieur de laquelle/où se trouvait un équipement pour produire du cannabis. Il s'agissait d'un jardin rotatif composé de plusieurs tubes dans lesquels/où/à l'intérieur desquels se trouvaient un millier de plants qui gravitaient autour de deux lampes.

**1   **Ce bracelet est un bijou qui vient de ma tante, que je porte depuis l'âge de 12 ans, dont je ne me sépare jamais, auquel je tiens énormément, qui vient d'Afrique du Nord, dont l'origine est berbère, que ma grand-mère avait reçu d'une amie, c'est un bijou qui me porte bonheur.

**2   **Suzy est une amie qui habite près de chez moi, que je connais depuis 30 ans, en qui j'ai complètement confiance, à qui/à laquelle je raconte tout, dont l'humour me réjouit, avec qui/avec laquelle je passe des heures, à qui/à laquelle je demande souvent conseil et dont les goûts sont proches des miens.

**3   **C'est un vélo rouge que j'ai retrouvé au fond du garage, un vélo dont je me servais pour aller à l'école, sur lequel je me sentais le roi, avec lequel j'ai parcouru des kilomètres, dont j'étais très fier, auquel j'étais très attaché, qui est encore en bon état, dont les freins fonctionnent bien, mais dont les pneus sont à plat.

4   1. Mon fils a une moto noire dont il est très fier. – **2.** C'est un vieux jean auquel je tiens beaucoup.
– **3.** Mon frère a acheté le vieux mas dont il rêvait. – **4.** C'est une jolie petite île dont je connais toutes les plages. – **5.** Ce sont de bons amis chez qui/chez lesquels je vais souvent. – **6.** C'est un pull déformé que je mets le week-end. – **7.** Ma voisine a un fils auquel elle laisse tout faire. – **8.** C'est un quartier calme auquel je me suis habitué(e).

5   Irène
… une fille **dont** tous les garçons étaient amoureux et pour **qui/laquelle** ils auraient vendu leur frère… une beauté à côté **de laquelle** j'avais l'air d'un chien battu… le jour **où** elle s'était moquée de mes taches de rousseur… et le surnom **dont** elle m'avait affublée… une personne **à laquelle** on ne pouvait pas s'attacher. Les garçons, **auxquels** elle ne manifestait que du mépris, et les filles **qui** craignaient ses sarcasmes…

1   1. … **ce que** tu voudrais manger. – **2.** … **ce qui** brille. – **3.** … **ce que** j'ai fait… – **4.** … **ce qui** a provoqué la panne. – **5.** … **ce qu'**on lit sur Internet. – **6.** … **ce qu'**il a dit ? – **7.** … **ce qui** se passe… – **8.** … **ce qu'il** faut faire !

2   **Dans une classe**
Il y a **ceux qui** rêvent et qui ne savent pas **ce qui** se passe et **ceux qui** sont agités… Le professeur ne sait pas **ce qu'il** convient de faire pour intéresser **ceux qui** sont en retard aussi bien que **ceux qui** suivent. L'effort pour savoir **ce qui** convient le mieux à tel ou tel groupe, **ce qui** va les motiver… est **ce que** les enseignants…

3   1. … ce qui est énorme. – **2.** … ce que je ne supporte pas. – **3.** … ce qui représente… – **4.** … ce que nous refusons. – **5.** … ce dont on est très fiers. – **6.** … ce qui me pose un problème. – **7.** … ce dont la direction est responsable.

4   Ce qui me révolte, c'est l'injustice. Ce que je crains, c'est le chômage. Ce qui me fatigue, c'est le bruit. Ce que je refuse, c'est la misère. Ce qui me fascine, c'est la beauté. Ce que j'attends, c'est l'amour. Ce que je méprise, c'est l'hypocrisie. Ce dont j'ai peur, c'est la guerre. Ce qui me séduit, c'est l'intelligence. Ce dont je rêve, c'est la paix sur terre.

[Avec « avoir besoin », on dit : *Ce dont j'ai besoin, c'est de temps/d'amour/de tendresse.* On accepte à l'oral : *Ce dont j'ai peur, c'est de la guerre. Ce dont je rêve, c'est de la paix sur terre.*]

5   C'est au secrétariat qu'il faut s'adresser. C'est 1er étage qu'il faut aller. – C'est en 2007 que je suis arrivé(e). – C'est moi qui ai déposé le dossier. – C'est moi qui vais payer les frais.

2   1. Mais alors : qu'est-ce que vous prenez ? – **2.** Mais alors : qui est-ce qui t'accompagne ? – **3.** Mais alors : qui est-ce que tu veux épouser ? – **4.** Mais alors : qu'est-ce qui te fait pleurer ? – **5.** Mais alors : qui est-ce qui l'a déposé ?

3   **Qu'est-ce que** vous vouliez faire ? **Qui est ce qui** vous avait donné cette idée ? **Qui est ce qui** vous a le plus influencé, dans votre vie ? **Qu'est-ce que** vous recherchez dans la vie ? **Qu'est-ce que** vous faites le mieux ? **Qu'est-ce que** vous faites le plus mal ? **Qu'est-ce qui** vous réjouit ? **Qu'est-ce qui** vous rend triste ? **Qu'est-ce qui** est arrivé à votre chien ? **Qui est-ce que** vous auriez aimé épouser ?

4   – C'est ta fête : **qu'est-ce que** tu veux ? **Qu'est ce qui** te plairait ? **De quoi** as-tu envie ?
Je voudrais savoir **ce que tu veux, ce qui te plairait**, **ce dont tu as envie/de quoi tu as envie**.
– Comment était la fête : **qu'est-ce que** vous avez fait ? **Qu'est ce qui** s'est passé ? **Qu'est ce qui** est arrivé à ton canapé ? Raconte-moi **ce que** vous avez fait, **ce qui** s'est passé, **ce qui** est arrivé à ton canapé.

– Pour le dîner : **qu'est ce qui** manque ? **Qu'est-ce qu'**il faut acheter ? **De quoi** tu as besoin ?
Dis-moi **ce qui** manque, **ce qu'il** faut acheter, **ce dont** tu as besoin ?
– Pour ton avenir : **qu'est-ce que** tu veux faire ? **Qu'est ce qui** t'intéresse ? **Qu'est-ce que** tu recherches ?
Il faut savoir **ce que** tu veux faire, **ce qui** t'intéresse, **ce que** tu recherches.

1 Paul a failli être écrasé. Il a évité une catastrophe de justesse : **il l'a échapp**é **belle !** – L'actrice a mal réagi à la critique : **elle l'a mal pris.** – John est hors de danger : **il s'en est sorti.** – Je suis épuisé. Je suis à bout. **Je n'en peux plus !** – On ne peut rien faire contre ça. **On n'y peut rien.** – Ne te fais pas de souci. **Ne t'en fais pas.** – Tu as une mauvaise stratégie. **Tu t'y prends mal.**

2 Se priver de qq chose : **s'en passer.** – C'est un expert : **il s'y connaît.** – Julien n'a pas pardonné à Paula : **il lui en veut toujours.** – Joanna a failli mourir : elle a failli **y passer/y rester.** – Ça m'a coûté 1 000 euros : **j'en ai eu pour 1 000 euros.** – Quelles sont ses intentions ? **Où veut-il en venir ?** – Ça m'est égal, **je m'en moque, je m'en fiche.** (Mais aussi : Je m'en fous. Je n'en ai rien à faire. Je m'en balance.)

3 **1.** On l'a échappé belle. – **2.** Elle m'en veut. – **3.** Elle s'en est sortie… – **4.** Il s'y connaît.

4 **1.** expérience – **2.** banquier – **3.** blé – **4.** gentleman – **5.** égoïste – **6.** philosophe – **7.** chandail – **8.** optimiste – **9.** secret – **10.** singe – **11.** élection.

EXERCICES – page 130

1 **1.** Vous voulez voir un ami : vous **l'**appelez au téléphone, vous **lui** envoyez un SMS, vous **le** contactez par mail ou vous passez directement chez **lui**. ?

2. Quelles sont les émissions de télévision **que** vous regardez le plus souvent, les présentateurs **dont** vous connaissez le nom et ceux **qui** vous agacent ? Y a-t-il une émission **à laquelle** vous aimeriez participer ?

3. **Qu'est-ce que** vous mangez le plus souvent, le soir ? Pouvez-vous faire une liste de **ce qu'**on trouve habituellement dans votre réfrigérateur ? Chez vous, **qui est-ce qui** fait la cuisine et **qui est-ce qui** fait le ménage ?

4. Un ami a beaucoup grossi : vous **lui** suggérez **de** faire un régime, vous **l'**incitez **à** faire du sport, vous **l'**encouragez **à** voir un nutritionniste ou vous ne **lui** dites rien ?

5. Est-ce que vous gardez les vieux journaux, est-ce que vous **les** jetez, ou est-ce que vous vous **en** servez ? Est-ce que vous faites tirer vos photos sur papier ou est-ce que vous **les** stockez sur votre ordinateur ? Est-ce que vous **y** jetez un coup d'œil de temps en temps ou rarement ?

6. Quand vous allez au restaurant avec des amis, est-ce que **chaque** personne paye sa part ou est-ce que **chacun** invite les autres à tour de rôle ? Quand on vous apporte l'addition, est-ce que vous **la** vérifiez attentivement ou est-ce que vous payez sans regarder ? Est-ce que vous éteignez votre portable ou est-ce que vous **le** mettez en mode « silencieux » ? Laissez-vous un pourboire ou **n'en** laissez-vous jamais ?

7. Quelle est l'œuvre **dont** vous aimeriez être l'auteur ? Quelle est la chanson **qui** vous fait pleurer ? Quelle est la star avec **laquelle/qui** vous aimeriez passer une journée ? Quelle est la personnalité politique **que** vous admirez le plus ?

8. C'est l'anniversaire d'une amie : vous **l'**invitez au restaurant, ou vous **lui** offrez un cadeau ? Avez-vous reçu un cadeau pour votre anniversaire ? **En** avez-vous reçu plusieurs ? Lesquels ? Faites la liste de tout **ce que** vous avez reçu et la liste de ce **dont** vous auriez eu envie.

9. Y a-t-il un aliment **que** vous détestez, une boisson **qui** vous plaît particulièrement, un fruit **dont** vous ne pelez pas la peau ? **Qu'est-ce qui** vous plaît le plus : la viande ou le poisson ?

10. Votre partenaire est en retard à un rendez-vous : vous **l'**attendez patiemment, vous **lui** envoyez une avalanche de SMS pour **lui** demander **ce qui** se passe, vous **l'**accueillez avec le sourire ou vous **lui** faites des reproches dès qu'il/elle arrive ?

11. Est-ce que vous lisez les nouvelles tous les jours ou est-ce que **ça** dépend des jours ? Quelles sont les rubriques **qui** vous intéressent particulièrement et celles **que** vous regardez occasionnellement ?

2 Je **vais poster** cette lettre et je **reviens**. – **2.** je **vais voir** qui c'est. – **3.** Tu **vas partir/pars**… je **serai** loin d'ici… je **téléphonerai**/je **te téléphonerai** (j'**appellerai**/je **t'appellerai**) – **4.** On **va faire** des travaux… les jumelles **auront** chacune leur chambre et elles **seront** moins agitées. – **5.** nous n'**augmenteron**s pas les impôts… nous **donnerons/accorderons** la priorité à la lutte – **6.** Quand tu **liras** cette lettre, je m'**appellerai/ serai** « Mme Duranton ». Le mariage **aura** lieu…

3 Des changements dans le village
… nous **allons créer** une place… Nous **allons démolir** le marché… nous **allons planter** des arbres et nous **allons installer** des bancs… des producteurs **pourront vendre** leurs produits… la place **se transformera** en cinéma… nous **allons réaliser/réaliserons** un parking et nous **interdirons** l'accès… Les travaux **commenceront** la semaine prochaine et **finiront** fin juin.

4 *Exemples :*
École : Nous allons construire de nouveaux bâtiments. Les salles seront plus grandes. Elles seront mieux isolées. On va agrandir le gymnase. On pourra jouer au volley à l'intérieur. Ce sera plus agréable en hiver. La cantine va devenir un self. On aura plus de temps pour déjeuner. On aura plus de choix.
Appartement : Je vais abattre la cloison de la cuisine pour faire une cuisine américaine, ça agrandira mon salon et, quand je cuisinerai, je pourrai bavarder avec mes amis.
Ville : On va transformer le rond-point en place publique et les voitures seront déviées sur le boulevard. On pourra se promener tranquillement. L'air sera moins pollué.

2 **1.** … les enfants **écoutaient** la radio/les enfants **ont éteint** la radio – **2.** … elle **mangeait** un bout de fromage/elle **s'est enfuie** – **3.** … tout le monde **lisait** un magazine/tout le monde **a présenté** son billet – **4.** … mon fils **avait** les pieds sur la table et il **fumait** les cigares de son père. – **5.** il **nageait** loin de la côte, il **a appelé** au secours. – **6.** … la toiture **a cédé**… et s'est **effondrée**…

3 **1.** Anna **mangeait** du poisson… elle **a avalé** une arête. – **2.** Je **conduisais**… un chien **a traversé** la route. – **3.** … son hoquet ne **passait** pas, Marie **a bu**… – **4.** … les spectateurs **ont crié**… le trapéziste **est tombé**… – **5.** Rose **a éclaté en sanglots**… elle **a dit** « oui »… – **6.** La jeune femme **s'est évanouie**… elle **a vu**… – **7.** La mère **a eu peur**… l'enfant **s'est penché** par la fenêtre. – **8.** L'automobiliste **a raté** le virage… la voiture **est rentrée dans** un arbre. – **9.** Les jeunes gens **patinaient**… quand deux d'entre eux **se sont heurtés**… – **10.** Le toit **a cédé**… Les clients **ont quitté les** lieux…

4 **1.** Paul **a pris** un taxi parce qu'il y **avait** la grève… – **2.** Le bébé **a pleuré** toute la nuit parce qu'il **avait** mal aux dents. – **3.** Tu **as fermé** la porte à clé et tu **as éteint** la lumière… – **4.** La première fois que Léa **a conduit** une voiture, **elle est rentrée dans** un mur ! – **5.** L'automobiliste **a eu** une contravention parce qu'il **conduisait** sans ceinture…

1 Émotions
Un incident **a eu** lieu… sur le lac. Les enfants **jouaient/patinaient** sur la glace. On **entendait** des rires… Les parents **prenaient** des photos. Tout à coup la glace **a cédé**… L'affolement **a été** général, deux enfants **sont tombés** dans l'eau… les secours **sont arrivés**… et il n'y **a eu** aucune victime.

3   **1.** Je **croyais** qu'il était italien ! – … **j'ai cru** m'évanouir ! – et **j'ai cru** qu'on allait s'écraser… – **2.** … elle **pensait** avoir de meilleures notes. –… **j'ai pensé** à toi. –… et **j'ai pensé** : si j'allais à la piscine ? – **3.** Nous **voulions** refaire notre salle de bains… quand nous **avons voulu** installer la baignoire…

4   **Nos vacances**

… il **fallait** avoir une voiture. … et **il a fallu** en louer une autre. … et il **fallait** emporter des parasols qu'**il fallait** planter dans le sable. Isabelle a eu une allergie et **il a fallu** l'emmener à l'hôpital… on est partis à l'aube parce qu'**il fallait** prendre une correspondance… on a raté la correspondance et il **a fallu** dormir à l'aéroport.

5   Samedi dernier, il y avait un match de foot au Stade de France. Il faisait chaud, le stade était complet, les supporters criaient et chantaient. Il y avait une ambiance gaie et amicale. Soudain un pétard a explosé. Il y a eu un mouvement de panique. La foule a hurlé. Les sorties ont été vite bloquées. Plusieurs personnes ont été piétinées. Il a eu des dizaines de blessés. Le match a été annulé.

EXERCICES – page 137

2   **1.** Le 25 juillet dernier, un homme **s'est présenté** à la clinique… et **a demandé** à être interné. Il ne **présentait** aucun symptôme… et il **semblait** seulement fatigué. Renvoyé chez lui, il **a tué** sa femme et sa fille…
2. … Valérie et François se **sont fiancés**. François **a offert** à Valérie une bague… qui **coûtait** une fortune. Il **faisait** froid. Valérie **portait** des gants… François **est parti**, Valérie **a retiré** son gant… Quand elle **est rentrée** chez elle, la bague n'**était** plus à son doigt. … la jeune femme **a retrouvé** la bague…

3   C'était le 11 décembre, il faisait froid dehors. Il faisait chaud sur la ligne. On était assis côte à côte sur des strapontins. Nous avons partagé des chocolats et de la musique. J'ai envie de plus. Et toi ?

C'était le 6 mars sur le vol Istanbul-Paris, on a pris un café avant l'embarquement, on a échangé des regards dans l'avion, et des sourires à l'enlèvement des bagages. J'étais derrière vous dans la queue pour les taxis. J'aimerais vous revoir.

C'était le 10 juin au Center Parc. Vous étiez avec deux jumeaux. Ils apprenaient à monter à bicyclette. Ils tombaient souvent. Ils riaient. Moi, j'avais des lunettes bleues, un jogging noir, et un tatouage avec un oiseau sur le bras droit. On sait qu'on s'est vus.

4   Le 25 juillet dernier un homme **se présente…** Il ne **présente** aucun symptôme… il **semble** fatigué. … il **tue** sa femme et sa fille…
Valérie et François **se fiancent**. François **offre** à Valérie une bague qui **coûte** une fortune. Il **fait** froid. Valérie **porte** des gants… François **part**, Valérie **retire** son gant. Quand elle **rentre** chez elle, la bague n'**est** plus à son doigt. La jeune femme **retrouve** la bague.

EXERCICES – page 139

2   **Foot**
Avant, **je faisais du foot**. – De 2005 à 2007, **j'ai fait du foot**. – Quand j'étais jeune, **je faisais du foot**. – À cette époque-là, **je faisais du foot**. – À 12 ans, tous les jours, **je faisais du foot**. – Tous les jours, entre 10 et 15 ans, **j'ai fait du foot**. – Toute ma vie, **j'ai fait du foot**. – Tous les jours, pendant 2 heures, **je faisais du foot**. – Tous les jours, pendant 4 ans, **j'ai fait du foot**. – Longtemps **j'ai fait du foot**.

3 Igor et moi, on ne s'est jamais disputés, on s'est toujours parlé franchement, on a toujours été d'accord sur l'essentiel, on n'a jamais été agressifs l'un envers l'autre, on a toujours été politiquement engagés, on n'a jamais accepté l'injustice, on a toujours eu beaucoup d'amis, on n'a jamais été déçus l'un par l'autre, on a toujours été proches dans les coups durs.

4 … Avant, je **faisais** du sport… Tous les samedis je **nageais**/je **faisais** le dos crawlé…, puis je **marchais** pendant vingt minutes… Tous les dimanches, pendant dix ans, j'**ai fait** du footing… À cette époque-là **je faisais/je marchais** pendant 5 km… Maintenant, je préfère la lecture : en deux ans, j'**ai lu** toute l'œuvre de Zola et **j'ai pris** plusieurs kilos.

EXERCICES – page 140

1 1. J'ai toujours **détesté** les jeux vidéo. – 2. **Je n'ai jamais compris** la règle d'accord. – 3. **Je n'ai jamais voulu** passer le permis. – 4. J'ai toujours été distrait(e). – 5. **Je n'ai jamais aimé**/J'**ai toujours aimé** les hommes (femmes) bodybuildés. – 6. **Je n'ai jamais su** m'orienter. – 7. **Je n'ai jamais mangé** de fromage. – 8. J'ai toujours eu le vertige. – 9. J'ai toujours été nul/nulle en calcul mental.

2 1. C'**étai**t bien ? – Oui, **ça s'est** bien passé et on **a eu** beau temps. – Et ta présentation ? – **Ça s'est** très bien passé !
2. … la publicité **a eu** un impact positif… – Oui, les accidents mortels **ont été** moins nombreux… et il **y a eu** moins de blessés. – 3. Le temps **a passé**/**est passé**… Je **croyais** qu'il **était** à peine dix heures. – 4. Nous **voulions** venir à votre soirée, mais nous **avons eu** un empêchement et finalement nous **n'avons pas pu** nous libérer.

3 **Cabine publique**
La batterie de mon portable était à plat. J'avais besoin d'appeler. J'ai vu une cabine téléphonique en face de l'arrêt de bus. La cabine était occupée Un jeune homme était assis par terre. Il riait. Il fumait. Il parlait beaucoup. Il était déjà midi. J'avais vingt minutes de retard à mon rendez-vous. J'ai tourné en rond autour de la cabine. J'ai fait des signes désespérés au jeune homme. Il m'a tourné le dos. J'ai cogné sur la vitre/j'ai donné des coups sur la vitre. Il m'a fait une grimace. Je lui ai répondu. Il s'est fâché. Il est sorti. Il m'a insulté(e). Une grosse dispute a éclaté. Elle a provoqué un attroupement. La police est arrivée. Elle nous a séparés.

4 J'étais dans la cuisine. Il faisait une chaleur insupportable. J'ai ouvert la fenêtre. Il y a eu un courant d'air. Un vase est tombé. Il y avait des morceaux de verre partout. J'étais pieds nus. Je me suis coupé(e). Mon pied était en sang/Mon pied saignait. J'ai ressenti une douleur aiguë. J'ai appelé SOS médecin. Le médecin a retiré des éclats de verre. Il m'a fait une piqûre d'antibiotique. J'ai eu 8 jours d'arrêt maladie.

EXERCICES – page 141

2 **Le voyage de Pierre**
… Pierre **a eu** très froid. Quand il **avait** trop froid, il **posait** les mains sur le capot… le radiateur **s'est mis** à/**a commencé** à fumer… Pierre **a conduit** lentement la voiture… Il **a réveillé** le garagiste qui **faisait** sa sieste et qui **a été** irascible tout le temps de la réparation, mais **il a réparé** la voiture et Pierre **a pu** repartir… un chat noir **a traversé** la route. Pierre y **a vu** un mauvais présage… le lendemain, il **a eu** un accident… : la voiture **a glissé** sur le verglas, et elle **est tombée** dans le fossé. … Pierre **a été aidé** par un paysan qui **marchait/passait** sur la route… Les bœufs **ont tiré** la voiture… Pierre **a partagé** une bouteille… quand il a voulu dédommager le paysan, celui-ci **a refusé** son argent.

1 Un orage éclata quand Elena sortit. Elle courut se réfugier sous le porche d'un immeuble. Un homme apparut. Il vit Elena qui grelottait dans son coin. Il lui sourit, puis il ouvrit son parapluie et il lui offrit son bras. Ils marchèrent jusqu'au métro et se quittèrent sans un mot. Quand l'homme lui fit, de loin, un petit geste de la main, Elena sentit son cœur battre plus fort.

2 Il y a deux ans, le feu qui éclata dans la nuit du 21 au 22 juillet détruisit un immeuble de cinq étages. Les pompiers réussirent à éteindre l'incendie avant qu'il n'atteigne les immeubles voisins. Une vingtaine d'habitants durent être évacués. Il y eut malheureusement deux victimes : une maman et sa fillette qui moururent étouffées. Les dégâts matériels furent très importants.

3 Un jour, Gilles sortit de chez lui et il vit un groupe de personnes qui dansaient sur le trottoir d'en face. Alors qu'il s'approchait pour voir ce qui se passait, un air de trompette déchirant parvint à ses oreilles. Au milieu du cercle, une jeune femme dansait, à côté d'elle, un jeune homme jouait. C'est à ce moment-là que Gilles décida de devenir trompettiste.

4 *Langue courante :*
Napoléon Bonaparte **est né** en Corse le 15 août 176**9**. Son génie militaire **s'est manifesté** très tôt. Le jeune Bonaparte **s'exposait** souvent à l'ennemi, ce qui le **faisait** adorer de ses hommes. Accumulant les victoires contre les royautés étrangères qui **s'attaquaient** à la République, il **est devenu** extrêmement populaire et, en 1799, il **a été nommé** Premier Consul. En 1804, il **s'est fait sacrer** Empereur. Napoléon **mesurait** 1,68 m, il **portait** souvent des chapeaux originaux et une redingote rapiécée. C'**était** un personnage complexe, d'une intelligence extraordinaire. Il **pouvait** travailler 18 heures par jour. Passionné et ardent, mais facilement porté à la dépression, il **portait** toujours sur lui un sachet de poison « au cas où ». Jusqu'en 1810, Napoléon **a pacifié** le pays et **a réorganisé** l'administration. Il **a décrété** la liberté de culte, **a créé** la Banque de France et **a promulgué** le Code civil, tout en multipliant les campagnes militaires. Mais après l'échec de la campagne de Russie en 1812, puis de sa défaite à Waterloo, Napoléon **a dû abdiquer** et il **a été exilé** à Sainte Hélène où il **est mort** en 1821.

Langue littéraire :
Napoléon Bonaparte **naquit** en Corse le 15 août 176**9**. Son génie militaire **se manifesta** très tôt. Le jeune Bonaparte **s'exposait** souvent à l'ennemi ce qui le **faisait** adorer de ses hommes. Accumulant les victoires contre les royautés étrangères qui **s'attaquaient** à la République, il **devint** extrêmement populaire et, en 1799, il **fut nommé** Premier Consul. En 1804, il **se fit fait sacrer** Empereur. Napoléon **mesurait** 1,68 m, il **portait** souvent des chapeaux originaux et une redingote rapiécée. C'**était** un personnage complexe, d'une intelligence extraordinaire. Il **pouvait** travailler 18 heures par jour. Passionné et ardent, mais facilement porté à la dépression, il **portait** toujours sur lui un sachet de poison « au cas où ». Jusqu'en 1810, Napoléon **pacifia** le pays et **réorganisa** l'administration. Il **décréta** la liberté de culte, **créa** la Banque de France, et **promulgua** le Code civil, tout en multipliant les campagnes militaires. Mais après l'échec de la campagne de Russie en 1812, puis de sa défaite à Waterloo, Napoléon **dut abdiquer** et il **fut exilé** à Sainte Hélène où il **mourut** en 1821.

2 Le 19 juin 1986, Coluche s'est tué à moto en percutant un camion. En 1974, le public français avait découvert ce comique à l'humour caustique et iconoclaste. En 1983, Coluche avait reçu le césar du meilleur acteur pour son rôle dans le film *Tchao Pantin*. En 1985, Coluche avait créé les Restos du Cœur et il avait attiré l'attention du public sur la situation des plus démunis. En 1981, il s'était présenté par dérision, aux élections présidentielles et avait provoqué un grand débat politique.

3 **1.** La Fiat 500 **a été rééditée** en 2006. Elle **avait été créée** cinquante ans plus tôt. – **2.** Le navigateur solitaire **Léo Savage est arrivé à Tahiti. Il était parti du Havre six mois plus tôt.** – **3.** Trois détenus **se sont évadés de la prison de la Santé par un tunnel qu'ils avaient creusé sous les cuisines.** – **4.** La pop star Louise Boorman **s'est mariée. Elle avait divorcé pour la 4ᵉ fois deux mois plus tôt.** – **5.** Le musée Morandi **a été complètement rénové. Il avait été créé en 1947.**

E X E R C I C E S – page 146

1 Identité

… Madeleine Mores **s'est présentée** à la mairie… Elle **revenait** d'Algérie, où elle **avait vécu**… Elle **voulait** faire… Elle **a été** stupéfaite… elle **a appris** qu'une Madeleine Mores **avait fait refaire** sa carte… elle **était née** à la même date qu'elle… La police **a ouvert** une enquête pour savoir laquelle des deux Madeleine **était** la bonne.

2 Coma

Alors qu'il **marchait** dans la rue, G.B. **reçut…** une pierre qui **s'était détachée** du balcon… L'homme **perdit** connaissance. Lorsqu'il **sortit** du coma… il ne **reconnut** plus rien. Tout **avait changé**… l'homme qui le **regardait** dans le miroir **ressemblait** à son père, sa petite fille… **était devenue** une femme, sa femme **s'était fait refaire** le nez et elle **vivait** avec son frère cadet !

3 Bouteille à la mer

… un jeune garçon… **trouva**… la bouteille qu'une petite fille… **avait jetée** à la mer… Dans la bouteille, **il y avait** un message… Le garçon **téléphona** à la fillette pour lui dire qu'il **avait trouvé** sa bouteille et qu'il **avait lu** son message.

Chien gourmand

Un jeune homme turc ne **trouvait** plus son portable. Il **était** pourtant sûr que le portable **se trouvait/était** dans sa maison. Il **eut** l'idée… C'est alors qu'il **entendit** la sonnerie… C'est lui qui **avait avalé** le portable !

Évasion

Quand le gardien **ouvrit** la porte de la cellule, il **découvrit/vit/se rendit compte…** que le prisonnier **s'était échappé** par un tunnel qu'il **avait creusé** dans le plancher… Pourtant, cette nuit-là, le gardien **n'avait entendu** aucun bruit ?

Aisha

Quand Aisha **entra** à l'école, elle savait déjà lire : c'est en regardant l'émission de télévision… qu'elle **avait appris** à lire, à écrire et à compter !

E X E R C I C E S – page 147

2 **1.** Vous **remettrez** votre copie… une fois que vous **aurez relu** votre texte. – **2.** Une fois que vous **aurez goûté** ce café, vous ne **pourrez** plus vous en passer. – **3.** Nous **partirons**… dès que le garagiste **aura réparé** la voiture. – **4.** Quand nous **aurons fini** de peindre… nous **poserons** la moquette. – **5.** Vous **pourrez** vous connecter une fois que vous **aurez tapé**…

3 **1.** Dès que la police **eut identifié** le lieu… elle **envoya** des renforts. – **2.** Une fois que les voisins **eurent vidé**… ils le **mirent**… – **3.** La fièvre **tomba** dès que l'enfant **eut pris** son médicament. – **4.** Quand Lola **eut enregistré**… elle **alla** au bar… – **5.** Les enfants **s'endormirent** dès qu'ils **eurent éteint** la lumière.

4 **La première fois**

C'était la première fois que je mangeais des litchies, je n'en avais jamais mangé avant… C'était la première fois que Fanny mettait des talons, elle n'en avait jamais mis avant. C'était la première fois que nous allions à l'opéra en famille, nous n'y étions jamais allés avant. C'était la première fois que je rencontrais les amis de ma fille, je ne les avais jamais rencontrés avant.

5 **Trop tard**

J'ai invité Mélanie à déjeuner, mais elle avait déjà déjeuné avec Jules. J'ai proposé à Isabelle de voir l'expo Picasso, mais elle l'avait déjà vue avec Max. J'ai demandé à Max de me prêter sa voiture, mais il l'avait déjà prêtée à Jo. Je voulais acheter l'appartement du 2e mais les voisins du 3e l'avaient déjà acheté. J'aurais voulu épouser ma mère, mais elle avait déjà épousé mon père !

EXERCICES – page 149

1 **Mon visage**

Très vite dans ma vie il a été trop tard. À dix-huit ans il était déjà trop tard. Entre dix-huit et vingt-cinq ans mon visage est parti dans une direction imprévue. À dix-huit ans j'ai vieilli. Je ne sais pas si c'est tout le monde, je n'ai jamais demandé. Il me semble qu'on m'a parlé de cette poussée du temps qui vous frappe quelquefois alors qu'on traverse les âges les plus jeunes, les plus célébrés de la vie. Ce vieillissement a été brutal. Je l'ai vu gagner mes traits un à un, changer le rapport qu'il y avait entre eux, faire les yeux plus grands, le regard plus triste, la bouche plus définitive, marquer le front de cassures profondes. (…) Les gens qui m'avaient connue à dix-sept ans lors de mon voyage en France ont été impressionnés quand ils m'ont revue, deux ans après, à dix-neuf ans. Ce visage-là, nouveau, je l'ai gardé. Il a été mon visage. Il a vieilli encore bien sûr, mais relativement moins qu'il n'aurait dû. J'ai un visage lacéré de rides sèches et profondes, à la peau cassée. Il ne s'est pas affaissé comme certains visages à traits fins, il a gardé les mêmes contours mais sa matière est détruite. J'ai un visage détruit.

2 **1.** Toute sa vie… Jacques **a été** fidèle à M. – **2.** Avant de rencontrer M., Jacques **était** très triste. – **3.** Quand il **était** petit, Charles **avait** de l'asthme. Il **a eu** de l'asthme jusqu'à… – **4.** Tous les jours, pendant 20 ans, **j'ai fait** du jogging… Je **faisais** quatre tours… – **5.** Jusqu'à maintenant, mes jumeaux **étaient** à l'école primaire… – **6.** Les enfants **ont été** très sages jusqu'à maintenant. – **7.** Pendant tout le mois de février, il **a fait** très froid. Tous les matins, il y **avait** du givre… – **8.** … Parce que **j'ai été/j'étais** malade.

3 *Exemples*

1. Il y a trois ans, nous sommes allés au bord de la mer, le courant m'a emporté(e) et j'ai failli me noyer ; il y a deux ans, j'ai eu une allergie solaire et j'ai dû aller à l'hôpital ; l'année dernière, nous sommes allés en Corse et j'ai été piqué(e) par une méduse. Je ne veux plus jamais passer mes vacances au bord de la mer !

2. J'ai suivi des cours de jonglage. On a jonglé avec des quilles en bois et j'en ai reçu une sur le front : ça m'a fait une grosse bosse.

3. Jeudi dernier, j'étais au supermarché et quand mon tour est arrivé, j'ai vu que la vieille dame qui était devant moi avait oublié son porte-monnaie, alors je suis sortie dans la rue et j'ai couru pour la rattraper.

4. Je suis entrée chez le voisin par la fenêtre parce que j'avais oublié mes clés chez moi, derrière la porte, et que la fenêtre de la chambre de mon voisin est tout près de la fenêtre de ma cuisine qui était restée ouverte.

5. La boulangère m'a donné un pain rassis. Il était dur comme du bois. Quand je lui ai demandé un autre pain, elle m'a ignoré(e) et ensuite, elle m'a rendu 2 euros de moins et n'a pas voulu le reconnaître. On a fini par se disputer.

EXERCICES – page 151

1 **1.** … parce qu'ils **ont mangé** trop de bonbons… – **2.** … parce qu'il **a acheté** une moto. – **3.** … les lunettes qu'il **avait perdues**… – **4.** … parce que nous **avons pris** un taxi. – **5.** … à qui il **avait donné** rendez-vous. – **6.** Martin a avoué… qu'il **avait pris** de l'argent… – **7.** … les arbres étaient blancs car il **avait neigé**… – **8.** … car ils **avaient marché** pendant six heures… – **9.** … parce que leur équipe **a gagné**… – **10.** … parce qu'il **a fait** des graffitis… la semaine précédente, l'enfant **avait fait** une caricature de son professeur… et deux jours plus tôt il **avait été** insolent avec son professeur de maths.

2 **a.** Le 18 avril dernier, Georges Valois, SDF, 75 ans, a reçu un paquet contenant un imperméable et d'autres objets. Le 19 avril, il a découvert un billet de Loto dans la poche de l'imperméable. C'était un vieux billet de Loto. Le lendemain, il s'est présenté à un bureau de tabac et il a réclamé l'argent. On le lui a refusé. Le 20 mai, un journaliste qui a entendu parler de Georges l'a interviewé pour la télé. Les spectateurs ont manifesté leur solidarité et ont envoyé une pétition en faveur de Georges. Le 18 juin, La Française des Jeux a cédé. Georges a touché 3 millions d'euros.
b. Un SDF de 75 ans, Georges Valois, touche 3 millions d'euros. Le 18 avril dernier, il avait reçu un paquet contenant un imperméable et d'autres objets. Le 19 avril, il avait découvert un billet de Loto dans la poche de l'imperméable. C'était un vieux billet de Loto. Le 20 avril, il s'était présenté à un bureau de tabac et il avait réclamé l'argent. On le lui avait refusé. Le 20 mai, un journaliste qui avait entendu parler de Georges l'avait interviewé pour la télé. Les spectateurs avaient manifesté leur solidarité et avaient envoyé une pétition en faveur de Georges.

3 *Exemples*
Fermeture d'un fast-food. La police a fait fermer un fast-food car des clients avaient trouvé que les hot-dogs avaient un drôle de goût et l'avaient signalé sur Internet. Les enquêteurs ont découvert que la viande qui servait à les fabriquer était de la viande… de chien.
Un mariage sympathique. Hier après-midi, Madeleine Mores, 74 ans, et Georges Valois, 75 ans, se sont mariés et se sont juré fidélité. Georges et Madeleine se connaissaient depuis 50 ans. Ils n'avaient, jusqu'à présent, « pas eu le temps de se marier ». Ils pensent partir en voyage de noce à Venise.
Braqueurs à treize ans. Deux collégiens de 13 ans ont braqué hier après-midi une agence de la BNP. Ils étaient masqués et armés… de pistolets à eau. Ils avaient imaginé ce braquage pour impressionner leurs petites copines qui ont assisté à toute l'opération.

EXERCICES – page 152

1 **1.** Ils sont frères. Ils sont belges. Luc a 32 ans. Guille a 34 ans. Ils sont ingénieurs agronome. Ils habitent à Bruxelles. – **2.** Ils sont partis en randonnée en Amazonie et ils se sont perdus. – **3.** Ils sont partis en janvier. C'était la saison des pluies en Amazonie. – **4.** Ils sont restés 52 jours dans la forêt. – **5.** Ils ont mangé des graines et des insectes. – **6.** Ils ont abattu des arbres et ils ont fait du feu pour être vus. – **7.** Ils se sont séparés. Luc a décidé de partir seul chercher des secours car Guille était malade. – **8.** Les recherches avaient été suspendues car aucune des équipes de gendarmerie n'avait détecté d'indices de la présence des deux jeunes gens. – **9.** Non, ils vont repartir dès qu'ils pourront. – **10.** La prochaine fois, ils partiront avec des GPS et deux téléphones portables.

EXERCICES – page 153

1 « Je ne <u>descends</u> plus là-dedans ; j'ai pas envie d'y rester. » Lui, le Piémontais, c'est juste à ce moment-là qu'il <u>arrive</u> à Aubignane, avec guère de sous et une femme qui <u>allait</u> faire le petit. Ce qui l'<u>avait tiré</u> de là-bas, allez chercher : le destin !
« Moi je <u>descends</u> », qu'il dit. Il <u>a creusé</u> encore au moins quatre mètres. Il <u>remontait</u> tous les soirs, blanc, gluant comme un ver, avec du sable plein le poil. Et, un soir, vers les six heures, on <u>a entendu</u>, tout par un coup, en bas, comme une noix qu'on <u>écrase</u> entre les dents ; on <u>a entendu</u> couler du sable et tomber des pierres. Il n'<u>a</u> pas <u>crié</u>. Il n'<u>est</u> plus <u>remonté</u>. On n'a jamais <u>pu</u> l'avoir. Quand, au milieu de la nuit, on <u>a descendu</u> une lanterne au bout d'une corde pour voir, on <u>a vu</u> monter l'eau au-dessus de l'écroulement. (…) <u>Il y avait</u> au moins dix mètres d'eau au-dessus de lui. (…) Elle <u>était marquée</u>, cette femme ! (…) Son homme <u>meurt</u>, comme je vous <u>dis</u>. Et nous, à la commune, on s'<u>arrange</u> pour lui donner du secours. Et on <u>laisse</u> le puits. On ne <u>voulait</u> pas boire de cette eau. Elle <u>eut</u> son petit peut-être deux mois après. On <u>disait</u> : « Avec ce qu'elle <u>a passé</u>, il <u>naîtra</u> mort. » Non, son petit <u>était</u> beau. Alors, elle <u>a</u> un peu <u>repris</u> de la vie. Elle <u>faisait</u>

des paniers. Elle <u>allait</u> au ruisseau. Elle <u>coupait</u> l'osier et elle <u>tressait</u> la corbeille. Elle <u>portait</u> le jeune homme dans un sac et, pendant qu'elle <u>travaillait</u>, elle le <u>posait</u> dans l'herbe et elle <u>chantait</u>. Il <u>restait</u> tranquille. C'<u>est arrivé</u> combien de fois. Elle lui <u>donnait</u> des fleurs pour l'amuser. C'est de ça qu'elle <u>aurait dû</u> se méfier. Il <u>avait</u> trois ans ; il <u>courait</u> seul. (…) Alors, une fois, c'<u>était</u> à l'époque des olives, on <u>a entendu</u> dans le bas du vallon comme une voix du temps des loups. Et ça nous <u>a</u> tous <u>séchés</u> de peur sur nos échelles. C'<u>était</u> en bas, près du ruisseau. On <u>est descendus</u> à travers les vergers (…). Nos femmes <u>étaient restées</u>, toutes serrées en tas. Et ça <u>hurlait</u> toujours, en bas, à déchirer le ventre ! Elle <u>était</u> comme une bête. Elle <u>était couchée</u> sur son petit comme une bête. On a cru qu'elle <u>était devenue</u> folle. L'Onésime Bus <u>met</u> sa main sur elle pour la lever de là-dessus, elle lui <u>mord</u> la main. À la fin, on <u>a pu</u> l'emporter. Son petit <u>était</u> dans l'herbe, tout noir déjà, et tout froid, l'œil gros comme un poing et, dans la bouche, une bave épaisse comme du miel. Il <u>était mort</u> depuis longtemps. On <u>a su</u>, parce qu'il en <u>avait</u> encore des brins dans sa petite main, qu'il <u>avait mangé</u> de la ciguë. Il en <u>avait trouvé</u> une touffe encore toute verte. Il <u>s'</u>en <u>était amusé</u> pas loin de sa mère qui <u>chantait</u>.

◼ 2 *Exemples*

Mamèche est une femme qui a vécu deux drames. Elle a d'abord perdu son mari qui est mort noyé en creusant un puits, alors qu'elle était enceinte, puis elle a perdu son petit garçon de 3 ans qui s'est empoisonné en jouant avec de la ciguë.

EXERCICES – page 155

◼ **1** **1.** Elles écout**ent** Radio Classique. – **2.** Tu mang**es** à la cantine à midi ? – **3.** Les enfants se lèv**ent** à sept heures. – **4.** Nicolas étudi**e** le chinois. – **5.** Tu travaill**es** jusqu'à quelle heure ? – **6.** Les secrétaires parl**ent** plusieurs langues. – **7.** Les cours finiss**ent** en juin. – **8.** Je met**s** un pull et un manteau pour sortir. – **9.** Eliott fai**t** du judo le mardi. – **10.** Je vous remerci**e** de votre aide. – **11.** Nous déménag**eons** : nous chang**eons** de quartier. – **12.** Léa a pris froid en nag**eant** dans le lac.

◼ **2** **1.** Paul écri**t**… – **2.** Marie pai**e**… – **3.** Je doi**s** aller… – **4.** Ce pressing nett**oie** mal… – **5.** Où est-ce que tu ach**ètes**… – **6.** Je renouv**elle**… (on accepte « renouvèle ») – **7.** Ma grand-mère bala**ie**… – **8.** Où est-ce que tu je**ttes**… – **9.** Mon entreprise empl**oie**… – **10.** Je cong**èle**… – **11.** … ce parfum m'ensorc**elle**. (on accepte « ensorcèle ») – **12.** Je feuil**lette**…

◼ **3** **Échanges (courriels)**

– Tu travail**les**… ? Je t'env**oie** un document… – Mais je ne sai**s** pas comment lire… Qu'est-ce que je doi**s** faire ? – Si tu cliqu**es**… ça s'ouv**re**. – Ok. Je li**s**… mais je ne peu**x** pas… Qu'est-ce que je fai**s** ? – Ça veu**t** dire… Je te renvo**ie**…

◼ **4** **1.** Je **pars**… – **2.** Cathy **dort**… – **3.** Je **suis** des cours… – **4.** Macha **vit**… – **5.** Tu **sors**… – **6.** Je ne **reçois** jamais de courrier.

◼ **5** **1.** Tu **lis** avec des lunettes… – **2.** On **cueille** les cerises… – **3.** … j'**écris** avec un stylo- feutre. – **4.** J'**attends** le bus… – **5.** Tu **mets** une cravate… – **6.** … Max **prend** le bus…

◼ **6** Je partais toujours en vacances au mois d'août. – Cathy dormait dix heures par nuit. – Je suivais des cours de russe. – Macha vivait en France depuis deux ans. – Tu sortais tous les samedis soirs. – Je ne recevais jamais de courrier.

◼ **7** – Je **serai** dans ton quartier demain. On **pourra** se voir ? – Je **verrai** si c'est possible. Je te le **confirmerai** ce soir.
– Je **prendrai** l'avion à 18 h. J'**arriverai** vers 20 h. J'**irai** chez toi en taxi. Je t'**appellerai** du taxi.

1 **1.** Les garçons sont part**is** – **2.** Marie est arriv**ée** – **3.** Ma fille s'est lev**ée** – **4.** Mes amis se sont promen**és** – **5.** Nous avons achet**é** – **6.** Les enfants ont reç**u** – **7.** Les étudiants ont réuss**i** – **8.** Ma mère a retrouv**é** – **9.** Vous avez fini de mang**er** ? – **10.** Ils ont essay**é** de nous contact**er**. – **11.** Pour dîner, j'ai cuisin**é** un curry. – **12.** Nous avons trouv**é** un studio à lou**er**. – **13.** Anne est all**ée** se **coucher**. – **14.** Sans cherch**er**, j'ai trouv**é** la solution ! – **15.** Ils ont jou**é** et ils ont gagn**é**. – **16.** Ils ont accept**é** de rest**er**. – **17.** Elle a essay**é** de pass**er** le permis.

2 **Un joli week-end**
Ma sœur est ven**ue**… elle a amen**é** ma fille… Elles sont rentr**ées** pour dîn**er**… elles ont continu**é** à parl**er**… jusqu'au moment de se couch**er**. Elles se sont endorm**ies**… elles se sont lev**ées**… Elles ont mang**é**… elles sont all**ées** se promen**er**… elles ont découp**é** des images… elles se sont amus**ées** à les coll**er**… Elles ont pass**é** un joli week-end.

Une jolie crique
Mon fils et ses copains sont part**is**… pour all**er** se baigner dans la crique qu'ils avaient repér**ée**… Ils se sont déshabill**és** et ils se sont allong**és**… pour se faire bronz**er**… ils se sont endorm**is**… ils se sont réveill**és**… l'eau avait emport**é** le panier… Ils se sont enroul**és** dans leurs serviettes et ils se sont dépêch**és** de rentr**er**… on a tous éclat**é** de rire…

3 **Macha**
Quand Macha est arriv**ée**… elle a rencontr**é**… qui lui ont expliqu**é**… elle a travaill**é**… elle s'est form**ée**… elle a commenc**é** à dirig**er**… Elle a décid**é** d'amélior**er**… pour particip**er**… elle a travaill**é**… elle a décid**é** d'all**er**… pour gagn**er** du temps. Elle a travaill**é**… Macha et Julie sont sort**ies**… pour all**er** au cinéma… Elles sont deven**ues** amies… Macha a progress**é**… Julie s'est mari**ée**… elle a quitt**é** Paris pour s'install**er**… Macha est all**ée** la voir… et elles ont pass**é** de bons moments… Macha apprend à parl**er** russe aux enfants…

1 **Zoé**
Hier Zoé est <u>allée</u> chez le médecin. Elle est <u>arrivée</u> un quart d'heure avant son rendez-vous. La salle d'attente était <u>bondée</u>, car c'était mercredi, jour de congé des enfants. Tous les sièges étaient <u>occupés</u>. Zoé s'est <u>installée</u> sur le bord extrême d'un canapé et elle s'est <u>plongée</u> dans son roman. Pendant quelques minutes, elle a <u>retrouvé</u> l'univers d'Alice Munro et elle a <u>oublié</u> le vacarme qui l'entourait. Les enfants criaient, ils s'étaient <u>jetés</u> sur les revues qu'ils avaient <u>déchirées</u> en mille morceaux. Une petite fille <u>échevelée</u> s'était <u>accrochée</u> à ses jambes qu'elle avait <u>inondées</u> de Coca-Cola tiède et un gamin aux cheveux <u>hérissés</u> lui donnait des coups de pieds dans les chevilles qu'elle avait <u>ramenées</u> en vain sous son siège. D'abord, les mamans s'étaient <u>fâchées</u>, elles s'étaient <u>excusées</u>, elles s'étaient <u>souri</u>, puis elles s'étaient <u>parlé</u> de leurs soucis et elles s'étaient <u>donné</u> des conseils. Elles avaient <u>comparé</u> leurs pédiatres présents et <u>passés</u>, elles avaient <u>raconté</u> les épreuves qu'elles avaient <u>vécues</u>. Certaines avaient <u>attrapé</u> au passage leurs gamins qui couraient. Elles les avaient <u>mouchés</u>, les avaient <u>rhabillés</u>, ou leur avaient <u>essuyé</u> la bouche. Une maman pâle et nerveuse qui en avait <u>amené</u> deux ou trois semblait clairement <u>dépassée</u>. Elle s'était <u>permis</u> de s'allonger presque complètement sur le canapé et Zoé s'est alors <u>demandé</u> s'il valait la peine de subir un après-midi de folie.

2 **1.** Ils sont arriv**és** – **2.** Les randonneurs sont part**is** – **3.** Marie s'est coup**ée** – **4.** Les deux amis se sont retrouv**és** – **5.** Ils se sont téléphon**é** – **6.** les enfants se sont lav**é** les dents – **7.** Joseph et Adolf se sont coup**é** la moustache. – **8.** Ma fille s'est achet**é** – **9.** Tu as vu la robe que Léa s'est achet**ée** ? – **10.** Les voisins se sont souhait**é** une bonne année. – **11.** Nous nous sommes envoy**é** des SMS. – **12.** Regarde les photos que j'ai reç**ues** – **13.** J'ai retrouv**é** les clés que j'avais perd**ues**. – **14.** La voisine s'est perm**is** d'entrer sans frapper.

3   **1.** Ils sont tombés. – **2.** Elles ont dormi. – **3.** Nous sommes partis/parties. – **4.** Elle s'est levée. – **5.** Il nous a invités/invitées. – **6.** Je les ai envoyés/envoyées. – **7.** Ils ont pleuré. – **8.** Elles se sont levées. – **9.** Nous avons dansé. – **10.** Elle s'est lavé les cheveux. – **11.** Tu les as appelés/appelées. – **12.** Il les a félicités/félicitées.

4   **1.** Je **les ai mises** sur l'étagère. – **2.** Trop tard, je **les ai jetés** ce matin ! – **3.** Non, **je les ai prises** en Provence. – **4.** Oui : c'est moi qui **l'ai faite.** – **5.** Oui, elle **se les est coupés** toute seule. – **6.** Non, **j'en ai mangé** seulement deux ou trois – **7.** Oui, j'**en ai emporté** deux paires. – **8.** J'**en ai envoyé** cinq ou six.

EXERCICES – page 161

2   **1.** … je les ai regardé**s** jouer… Je les ai v**us** inventer… – **2.** … je les ai entend**us** se disputer… – **3.** …ils se sont v**u** refuser l'accès… – **4.** … la jeune fille s'est entend**u** appeler… elle s'est retourné**e** – **5.** … les footballeurs se sont v**us** reprendre confiance. – **6.** La vieille dame s'est laiss**ée** mourir… elle s'est sent**ie** abandonnée…

3   **1.** Regarde la bosse que je me suis **faite** en tombant. – **2.** Tu as vu la villa qu'il s'est **fait** construire ? – **3.** Retire les habits que j'ai **fait** laver, s'il te plaît. – **4.** Goûte les bonnes crêpes que j'ai **faites** pour toi. – **5.** Les voisins se sont **fait** cambrioler trois fois. – **6.** Corrigez les fautes que vous avez **faites**. – **7.** Où sont les chaises que tu as **fait** refaire ? – **8.** La cantatrice s'est **fait** siffler par le public.

4   **1.** On a volé la bicyclette que j'avais **laissée** dans la rue… – **2.** Je n'ai pas pu sauver les plantes que tu as **laissées** mourir… – **3.** La conductrice **s'est laissé** injurier par de jeunes motards sans réagir. – **4.** J'ai récupéré les clés que j'avais **laissées** à la concierge…

5   **1.** La journaliste qui s'était permi**s** de critiquer… s'est **fait** arrêter. – **2.** … les informations que nous avons **pu**. – **3.** Face à la chaleur qu'il a fai**t**… les autorités ont pris les mesures qu'il a fall**u**. – **4.** … les travaux qu'on leur avait donn**é** à faire… de petits détails qu'ils ont **eu** à reprendre. – **5.** Quand Mina s'est aperç**ue** dans la glace, elle s'est rend**u** compte… elle s'est imagin**ée** en blonde. Elle s'est imagin**é** qu'en changeant de couleur… – **6.** Les voleurs se sont **vus** encerclés… et ils se sont laiss**és** emmener… – **7.**… les mauvaises notes que Julien a **eues**… toute l'énergie qu'il lui a fall**u**… et à tous les cours particuliers qu'il a suiv**is** ! – **8.** Les voisins se sont aperç**us**… et ils se sont rend**u** compte que nous avions été cambriolés. Les voleurs ont emporté tous les objets qu'ils ont p**u**. – **9.** Les personnes que nous avions aid**ées**… mon mari et moi avons été invit**és**. Elles ont été ém**ues** de nous revoir. Nous nous sommes rend**u** compte qu'elles nous avaient appréci**és**… les efforts que ça nous a coût**é** ont été récompens**és**.

EXERCICES – page 162

1   **Discussions passionnées**
Les étudiants ont appréci**é**… que nous avons étudi**és**…. Je les avais découp**és**… je les avais photocopi**és** puis je les avais distribu**és**… et je leur avais demand**é**… Ils ont rédig**é** des exposés qu'ils ont laiss**és** dans mon casier… Je les ai corrig**és**, je les leur ai rend**us**… et je leur ai expliqu**é** les erreurs qu'ils avaient fait**es**. Les étudiants ont discut**é** des idées qu'ils avaient e**ues** et j'ai été impressionnée par la passion qu'ils ont manifest**ée**… Je les ai laiss**és** discuter… puis je les ai fai**t** réfléchir… et je leur ai propos**é** d'écrire un résumé.

2   **1.** Je les avais laiss**ées**… et elles ont dispar**u** … tu les as mis**es**… – **2.** … nous avons conn**u** des amis que nous avons aim**és** et que nous n'avons jamais rev**us**. Nous nous sommes souvent demand**é** ce qu'ils étaient deven**us**. – **3.**… la vendeuse s'est aperç**ue** qu'elle avait rend**u** trop d'argent… la cliente avait dispar**u**. – **4.** Les enfants ont été pun**is** car ils nous ont désobé**i**. – **5.** ... la baby-sitter que j'avais engag**ée** pour garder les enfants... les a laiss**és** regarder la télé... elle les a regard**és** manger... ils ont fait toutes les bêtises qu'ils ont voul**u**. Je regrette les vingt euros que ça m'a coût**é** ! – **6.** Quand la jeune femme s'est sent**ie** saisie... elle s'est cr**ue** attaquée... ce n'était que son jeune frère qui avait grand**i**. – **7.** ... les joueurs qui s'étaient... affront**és** se sont tend**u** la main.

3   **1.** J'ai **rendu** les revues que j'ai **prises**... – **2.** J'ai **copié** tous les disques que tu m'avais **prêtés**. – **3.** ... la secrétaire a **envoyé** les lettres que je lui ai **dictées** ? – **4.** Tu as entendu la question qu'on a **posée** au ministre et la réponse qu'il a **faite** ? – **5.** Les joueurs **se sont entraînés**... ils **se sont donné** 10 jours... – **6.** Nous avons **rencontré** les voisins et nous les avons **invités** chez nous. – **7.** J'ai **sélectionné** plusieurs films que je n'ai pas **vus**... – **8.** Goûte la tarte que j'ai **faite** ! Elle est meilleure que celle que j'ai **achetée**. – **9.** Où sont les chocolats que j'ai **achetés** hier. Tu les as tous **mangés** ? – **10.** Anna et Vronski et se sont **plu** dès qu'ils se sont **vus**.

EXERCICES – page 163

1   *Fatum* **(par la critique Anne Fontana)**
Les deux tomes de *Fatum* que j'ai l**us** cette semaine m'ont beaucoup pl**u**. Les personnages m'ont enchant**ée** et la fin m'a tellement boulevers**ée** que j'en ai pleur**é**. Des émotions comme cela, je n'en avais pas éprouv**é** depuis bien longtemps. Certaines scènes m'ont touch**ée** profondément, comme la mort de l'enfant, même si je l'avais pressent**ie** dès le début. La sensibilité que le petit garçon avait manifest**ée** lors de la maladie de sa sœur semblait le prédestiner à quelque obscure fatalité. Ces malheurs, l'auteur sans doute ou l'un de ses proches les aura véc**u**. Dans son œuvre, il leur a donn**é** la terrible beauté d'une tragédie grecque. Le talent, la force et le courage qu'il lui a fall**u** pour le faire m'ont impressionnée.

2   **1.** ... a ador**é**... que tu lui as off**erte**... – **2.** Avez-vous archiv**é**... que vous avez reç**us**... – **3.** ... a découv**ert**... que j'avais cach**és**... il les a mang**és**. – **4.** ... avez-vous visit**és** ? – J'en ai visit**é**... – **5.** Max a interview**é**... Les livres qu'il en a tir**é**... – **6.** Les dix mois que j'ai véc**u**... je ne les ai jamais oubli**és**. – **7.** ... Serge en a conn**u** beaucoup... il les a toutes photographi**ées**. – **8.** Nous avons pass**é** deux heures... et ça nous a suff**i**... – **9.** Les deux heures que nous avons march**é**... nous ont épuis**é(e)s**. – **10.** Je n'ai jamais oubli**é**... que j'ai pass**ées**... – **11.** Les enfants... se sont rend**us** malades. – **12.** Les parents de Théo se sont rend**u** compte...

3   **1.** Combien de personnes as-tu invit**ées** ? – J'en ai invit**é** une vingtaine. – **2.** Tu as lu tous les livres que Simenon a écr**its** ? – Oh, non : il en a écr**it** des centaines. – **3.** Goûte ces beignets de courgette ! C'est ma grand-mère qui les a fa**its**. Des beignets légers comme ça, tu n'en as sans doute jamais mang**é** ! – **4.** Des scientifiques ont pass**é** plusieurs semaines... Ils les ont observ**és...** ils vont communiquer les informations qu'ils en ont retir**é**. – **5.** Quand on voit les résultats de son travail, on oublie les efforts qu'ils ont coût**és.** – **6.** Je ne regrette pas les cent euros qu'elles m'ont coût**é**. – **7.** Les randonneurs étaient épuisés après tous les kilomètres qu'ils avaient parcour**u**. – **8.** Vous n'avez aucune idée des dangers que vous avez cour**us**... – **9.** ... ceux qu'il avait déjà pes**é**. Les raisins qu'il m'a fa**it** goûter étaient délicieux et j'en ai achet**é** trois grappes. – **10.** Quand Rosalène s'était propos**ée**... tous ses amis avait sour**i**. – **11.** Dany nous a accueill**is** à l'aéroport et elle s'est propos**ée** de nous faire visiter la ville.

1   **Portrait d'Éric G.**

Éric G. est charcutier. Cela fait trente ans qu'il fait ce métier. Il l'aime. Sa boutique <u>ne l'a pas rendu</u> riche, loin de là, mais elle le rend heureux. Éric <u>n'a tué personne</u>, à notre connaissance. Il <u>ne vient pas de</u> sortir un disque, ni un livre. <u>Il n'appelle pas</u> à la révolution. Il <u>n'a joué</u> dans <u>aucun</u> film, <u>n'a pas rencontré</u> d'extraterrestre, <u>ne se présente à aucune</u> élection, <u>n'habite pas</u> en zone inondable. Éric G. <u>n'a aucune</u> des qualités généralement requises pour occuper cette page, mais sa charcuterie se trouve au cœur de la Goutte d'Or… Son message est : "*Ce quartier <u>n'est pas</u> plus violent qu'un autre.*"…

2   **1.** Nous **n'avons rien mangé** – **2.** Marco **n'a jamais bu d'alcool** – **3.** Salomé **n'a plus dansé** – **4.** Les enfants **n'ont fait aucun bruit** – **5.** Rose **n'a rencontré personne** – **6.** Je **n'ai rien acheté** – **7.** Les enquêteurs **n'ont trouvé aucun indice**.

3   **1.** Non, je n'ai pas encore dîné. – **2.** Non, je n'ai besoin de rien. – **3.** Non, ils n'ont rien mangé. – **4.** Non, je ne les ai pas encore réservés. – **5.** Non, je ne fume plus. – **6.** Non, je n'ai aucune préférence/je n'ai pas de préférence. – **7.** Non, on ne doit pas toujours leur dire la vérité./Non, on ne doit jamais leur dire la vérité. – **8.** Non, il n'est pas encore passé. – **9.** Non, je ne vais nulle part./Nous n'allons nulle part. – **10.** Non, il ne passe pas toujours à la même heure/Non, il ne passe jamais à la même heure. – **11.** Non, il ne reste plus de lait. – **12.** Non, je n'ai aucun projet pour les vacances/Non, je n'ai pas de projet pour les vacances. – **13.** Non je ne connais personne qui sache piloter un avion.

1   Je <u>ne savais pas</u> où j'étais <u>ni qui j'étais</u>. Je <u>n'avais plus aucun</u> souvenir… J'ai appelé. <u>Personne n'a</u> répondu. J'espérais voir un bateau. <u>Rien</u>. <u>Aucun signe</u> de vie, <u>nulle part</u>.… Après j'ai fait des trous dans ma chemise pour en faire un filet. Mais <u>je n'ai rien attrapé</u>. Je <u>n'ai rien mangé ni rien bu</u> pendant deux jours. J'ai dormi. J'ai attendu. <u>Sans jamais</u> perdre espoir.

2   **1.** Non, personne n'a appelé. – **2.** Non, rien n'a changé. – **3.** Non, personne ne m'a reconnue. – **4.** – Non, rien ne m'a plu dans la nouvelle boutique. – **5.** Non, aucun candidat n'a été retenu.

3   **1.** Je ne mange ni viande ni poisson. – **2.** Cet artisan travaille sans soin ni amour. – **3.** Ma nièce a réussi ses examens sans travailler ni prendre des notes. – **4.** Le comptable est parti à la retraite sans regret ni tristesse. – **5.** Je ne mets ni lait ni du sucre dans mon café. – **6.** Le voyageur n'avait ni sac et ni valise.

4   On ne peut payer ni par chèque ni par carte de crédit. Il n'y a ni piscine ni court de golf. Ni les chambres ni les balcons ne sont immenses. Ni la décoration ni les meubles ne sont anonymes. Ni le directeur ni le personnel ne parlent anglais. Il n'y a ni bruit ni animation.

5   **1.** Il ne va jamais nulle part. – **2.** Il ne dépense jamais rien. – **3.** Il ne reçoit jamais personne. – **4.** Il n'oublie jamais aucune offense./Il n'oublie jamais rien. – **5.** Il ne fait jamais aucun un effort. – **6.** Il ne s'intéresse à rien.

1   **Quelques règles de savoir-vivre à table**

Ne souhaitez pas « Bon appétit » avant de manger. Ne parlez pas la bouche pleine. Ne mettez pas les coudes sur la table, ni les mains sur les genoux. Ne parlez pas fort. Ne riez pas fort. Ne coupez pas la parole. N'accaparez pas l'attention. Ne dépliez pas entièrement votre serviette, posez-la sur vos genoux. Ne mangez pas avec les doigts. Ne laissez rien dans votre assiette et complimentez votre hôte/hôtesse sur les mets servis.

Règle : Ne pas souhaiter « Bon appétit » avant de manger. Ne pas parler la bouche pleine. Ne pas mettre les coudes sur la table, ni les mains sur les genoux. Ne pas parler fort. Ne pas rire fort. Ne pas couper la parole. Ne pas accaparer l'attention. Ne pas déplier entièrement sa serviette, la poser sur ses genoux. Ne pas manger avec les doigts. Ne rien laisser dans son assiette et complimenter son hôte/hôtesse sur les mets servis.

2   **1.** Je suis désolée d'être en retard et de ne pas avoir pu vous avertir. – **2.** Mon frère est content d'avoir trouvé un nouveau travail et de ne plus travailler la nuit. – **3.** L'étudiant est déçu d'avoir cherché un studio pendant deux mois et de ne rien avoir trouvé/de n'avoir rien trouvé de correct. – **4.** L'athlète est fier d'avoir gagné la coupe à 35 ans et de ne jamais avoir abandonné/n'avoir jamais abandonné la compétition. – **5.** Je suis désolé d'avoir découvert votre message tardivement et de ne pas avoir/n'avoir pas répondu plus tôt. – **6.** Nous regrettons de ne plus accepter les chèques et de ne plus pouvoir plus vous livrer à domicile. – **7.** Je vous remercie de m'avoir écouté et de ne pas m'avoir jugé.

3   **1.** Personne n'a rendu sa copie… – **2.** Il ne pleut plus. – **3.** Nous ne regardons aucune émission sportive et aucun débat politique. – **4.** Ce quartier n'a pas beaucoup changé. – **5.** Nous n'avons rien vu d'intéressant à la télévision. – **6.** Aucun étudiant n'est arrivé à l'heure. – **7.** Je n'ai pas de question à poser au professeur. – **8.** Finalement, les syndicats n'ont rien pu faire. – **9.** Personne n'a réclamé le sac. – **10.** Je n'ai jamais aimé les mathématiques. – **11.** Mon fils ne prend jamais rien pour le petit déjeuner. – **12.** Aucun Français n'a gagné de médaille depuis le début des Jeux olympiques. – **13.** La vendeuse sert les clients sans sourire. – **14.** Personne ne veut travailler avec Lucie. – **15.** Mon frère n'achète jamais rien sur Internet. – **16.** La concierge ne parle jamais à personne.

Récréation n° 5 – page 170-171

1   **1.** Un bon « tiens » vaut mieux que deux « tu l'auras ». – **2.** Qui a bu boiras. – **3.** Tel qui rit vendredi dimanche pleurera. – **4.** Qui vivra, verra. – **5.** Aide-toi, le ciel t'aidera. – **6.** Dis-moi qui tu fréquentes, je te dirai qui tu es.

4   je reçus – je vis – je fus – j'écrivis – m'ignorèrent – supplièrent – pleurèrent – je partis – je fis – j'appris – je découvris – je vécus – je connus – demeura – m'enchanta.
j'ai reçu – j'ai vu – j'ai été – j'ai écrit – m'ont ignoré – ont supplié – ont pleuré – je suis parti – j'ai fait – j'ai appris – j'ai découvert – j'ai vécu – j'ai connu – est demeurée – m'a enchanté.

Sondage-test n° 5 – page 172

Études

1. Avez-vous fait vos études dans une école publique ou privée ? Votre école **était-elle** une école mixte ?

2. À quel âge êtes-vous **allé(e)/entré(e)** à l'école primaire ? **Étiez-vous allé(e)** à l'école maternelle auparavant ?

3. Est-ce que vous **alliez** à l'école tous les jours ? De quelle heure à quelle heure ?

4. Est-ce que vous **déjeuniez/alliez** à la cantine à midi ? Le matin, **buviez-vous/preniez-vous** du chocolat… ?

5. Quels sports **pratiquiez-vous/faisiez-vous** à l'école ? **Alliez-vous** parfois à la piscine ?

6. Quelles **étaient** vos matières préférées et celles que vous **aimiez** le moins ?

7. Le matin **faisiez-vous** un effort pour aller à l'école ou **étiez-vous** motivé(e) ?

8. Quel genre de livres **lisiez-vous** : des classiques ? des romans d'aventures ? des bandes dessinées ?

9. Vous souvenez-vous d'un poème que vous **avez appris** par cœur ?

10. À douze ans, vos meilleur(e)s ami(e)s **étaient-ils** des filles ou des garçons ?

11. Au cours de votre scolarité **avez-vous eu** des enseignants des deux sexes ? **Étiez-vous/avez-vous été** amoureux/amoureuse d'un de vos professeurs ?

12. Avez-vous gardé des contacts avec vos anciens camarades ou **avez-vous perdu** complètement leur trace ?

2 1. –**Avez-vous déjà bu du** champagne ? – **2. Avez-vous déjà mangé du** foie gras ? – **3. Avez-vous déjà fait de l'**auto-stop ? – **4. Avez-vous déjà pris un bain** de minuit ? – **5. Avez-vous déjà dormi** à la belle étoile ? – **6. Avez-vous déjà vu une** étoile filante ? – **7 Avez-vous déjà fait un** vœu ? – **8. Avez-vous déjà serré** la main d'une célébrité ? – **9. Avez-vous déjà dit des** mensonges ? – **10. Avez-vous déjà demandé** pardon à quelqu'un ? – **11. Avez-vous déjà dansé la** valse, pieds nus sur la plage ? – **12. Avez-vous déjà fait de la** plongée sous-marine ? – **13. Êtes-vous déjà monté** en haut de la tour Eiffel ? – **14. Avez-vous déjà donné de l'**argent à un clochard ? – **15. Avez-vous déjà eu** très mal aux dents ? – **16. Avez-vous déjà visité/vu le** Château de Versailles ? – **17. Avez-vous déjà chanté** dans un karaoké ? – **18. Êtes-vous déjà monté(e)** dans un hélicoptère ? – **19. Êtes-vous déjà descendu(e)** dans des catacombes ? – **20. Avez-vous déjà vu** le lever du soleil ? – **21. Avez-vous déjà rencontré** quelqu'un sur Internet ? – **22. Avez-vous déjà dit** « Je t'aime » à quelqu'un ? – **23. Avez-vous déjà eu** le cœur brisé ? – **24. Avez-vous déjà utilisé/Vous êtes-vous déjà servi (d')** une perceuse, **(d')** un tournevis ? – **25. Avez-vous déjà acheté des** vêtements que vous n'avez jamais mis ? – **26. Avez-vous déjà reçu un** cadeau affreux pour votre anniversaire ? – **27. Vous êtes-vous déjà fait** tatouer une partie du corps ? – **28. Vous êtes-vous déjà fait** percer une partie du corps ? – **29. Avez-vous déjà assisté** à un procès, au tribunal ? – **30. Avez-vous déjà été** juré(e) lors d'un procès ?

EXERCICES – page 175

1 **La mère** (1)

Je crois que mes enfants **feront**… Je suppose qu'ils **auront**… J'imagine qu'ils **prendront**… Je constate qu'ils **ont**… mais j'estime qu'ils **sont**… et qu'ils **ont**… je suis convaincue qu'ils **sauront**…

La mère (2)

Je voudrais que mes enfants **fassent**… J'aimerais qu'ils n'**aient**… Je souhaite qu'ils **prennent** toujours… je crains qu'ils **ne soient**… qu'ils **ne fassent**… ou qu'ils **ne prennent**… J'ai peur qu'ils **ne soient** pas… et qu'ils ne **sachent** pas…

2 **Le professeur**

Je pense que cet élève **est** intelligent… et je crois qu'il **a** des capacités… Je trouve qu'il **est** intuitif… et je reconnais qu'il **a** le sens de la logique. Je regrette… qu'il ne **prenne** aucune note… qu'il **fasse** ses devoirs sans beaucoup de soins, et qu'il **soit** souvent absent. Je crains qu'il **n'ait** pas conscience de mettre en danger son avenir. Je juge qu'il **est** tout à fait capable… et j'espère qu'il **fera** tous les efforts nécessaires dans ce sens.

3 Que veux-tu qu'on fasse ? Où veux-tu qu'on aille ? Quand veux-tu qu'on parte ? Où veux-tu qu'on dorme ?

4 Je pense qu'il ne sait pas toute la vérité. Je voudrais qu'il sache toute la vérité. – Je pense qu'il ne dit pas le fond de sa pensée. Je voudrais qu'il dise le fond de sa pensée. – Je pense qu'il n'a pas confiance en nous. Je voudrais qu'il ait confiance en nous. – Je pense qu'il ne connaît pas bien la situation. Je voudrais qu'il connaisse bien la situation.

5 1. Je suis désolé(e) **que tu ne puisses pas venir**. – 2. Je suis triste **de ne pas pouvoir venir**. – 3. Je suis ravi(e) **que vous soyez libre ce soir**. – 4. Je ne supporte pas **d'être en retard**. – 5. Je suis content(e) **qu'il fasse beau aujourd'hui**. – 6. J'ai horreur **de faire la queue à la poste**.

6 **1.** Je voudrais que tu **apprennes** à jouer du saxo et moi aussi **je voudrais apprendre à jouer du saxo/apprendre à en jouer**. – **2.** J'aimerais que tu **boives** moins de vin et moi aussi **j'aimerais boire moins de vin/en boire moins**. – **3.** Je voudrais que mon fils **fasse** plus de sport, et moi aussi, **je voudrais faire plus de sport/en faire plus**. – **4.** Je voudrais **tu dormes** sans somnifère et moi aussi **je voudrais dormir sans somnifère/sans en prendre**. – **5.** Je n'aime pas que ma fille **mette** du rouge à lèvres et, moi non plus **je n'aime pas mettre du rouge à lèvres/en mettre**. – **6.** J'aimerais que mes enfants **parlent/apprennent** plusieurs langues et moi aussi **je voudrais parler/apprendre plusieurs langues/en parler plusieurs**.

E X E R C I C E S – page 177

1 **1.** … j'admets qu'il **est** beau garçon. – **2.** J'admets difficilement qu'on ne **dise** pas la vérité… – **3.** Dis à la femme de ménage qu'elle **fasse** la vaisselle… – **4.** Je comprends que tout le monde **soit** surpris… – **5.** Il me semble que tu **as** beaucoup maigri… – **6.** Il semble que la plupart des jeunes **fassent** beaucoup de fautes… – **7.** Je me doute que vous **avez** un bon niveau… – **8.** Je doute qu'il y **ait** de la neige… – **9.**… je doute qu'il l'**ait** accumulée de façon honnête. – **10.** Il semble qu'il y **ait** plus d'étudiants cette année…

2 **1.** Ce bracelet est en argent massif ? **Je m'en doute** : il est très lourd./**J'en doute** : il est trop léger. – **2.** Il va faire beau cet après-midi. **J'en doute** : le temps se couvre. – **3.** J'adore mon nouvel appartement ! **Je m'en doute** : il est magnifique. – **4.** On sera à Lyon dans une heure… **J'en doute** : il reste 250 km !

3 **1.** Tu crois que Paul sera à l'heure ? – **Sans aucun doute.** Il est toujours ponctuel./**Sans doute.** Mais on ne sait jamais. – **2.** Vous viendrez nous voir ? **Sans doute,** mais ça dépendra de ma mère. – **3.** Tu crois que le bébé a la varicelle ? **Sans aucun doute** : le médecin l'a confirmé. – **4.** Vous partez toujours en Chine ? **Sans doute,** mais on attend notre visa.

4 **1.** L'institutrice comprend que les petits enfants soient agités et qu'ils aient besoin de bouger. – **2.** Le vieux monsieur regrette qu'il n'y ait plus d'arbres et qu'on ne puisse plus s'asseoir à l'ombre. – **3.** Le dictateur exige que toutes les radios fassent son éloge et entretiennent son image de chef infaillible. – **4.** Le comptable admet qu'il y a une erreur dans ses calculs et il comprend que le directeur soit furieux. – **5.** Le professeur suggère que nous fassions une pause-café et que nous allions dans le jardin. – **6.** L'entrepreneur redoute que la crise (ne) soit plus longue que prévue et qu'il (ne) faille licencier du personnel.

5 Je m'attendais à ce qu'il réagisse positivement. Je m'attendais à ce qu'il prenne une position nette. Je m'attendais à ce qu'il défende son point de vue. Je m'attendais à ce qu'il réponde immédiatement.

6 **1.** Il propose **que** nous **allions** au cinéma. – **2.** Il s'oppose **à ce que** nous **emmenions** sa fille. – **3.** Il tient **à ce que** nous **partions** tout de suite. – **4.** Il suggère **que** nous **prenions** le bus. – **5.** Il refuse **que** nous **payions** notre place. – **6.** Il veille **à ce que** nous **rentrions** tôt.

E X E R C I C E S – page 179

1 Je ne crois pas que la presse écrite soit morte. Je ne crois pas que les blogs puissent remplacer les journaux. Je ne crois pas que Web soit plus démocratique. Je ne crois pas que les besoins des lecteurs aient changé. Je ne crois pas que l'information doive être totalement gratuite.

2 Je crois qu'il **est là**. – Je ne pense pas qu'il **soit là**. – J'imagine qu'il **est là**. – Je suppose qu'il **est là**. – Je trouve normal qu'il **soit là**. – Imaginons qu'il **soit là**. – Supposons qu'il **soit là**. – Croyez-vous qu'il **soit là**. – Est-ce que vous croyez qu'il **est là** ? – Je trouve rassurant qu'il **soit là**.

3 un homme/une femme. *Exemples.*

Je déteste qu'un homme/une femme soit mal élevé(e). Je n'aime pas qu'un homme/une femme soit négligé(e). J'adore qu'un homme/une femme me fasse la cour. Je trouve normal qu'une femme ait les cheveux teints. Ça me gêne qu'un homme se teigne les cheveux. Ça m'amuse qu'un homme/une femme flirte avec tout le monde. Je trouve sexy qu'un homme/une femme mette des vêtements très serrés/mette du parfum. J'aime qu'un homme/une femme me fasse rire. Je n'aime pas qu'un homme/une femme dise (trop de) gros mots. Je trouve normal qu'un homme/une femme ait besoin d'indépendance. Je comprends qu'un homme/une femme mente de temps en temps. J'adore qu'un homme/une femme soit de bonne humeur

mon fils/ma fille. *Exemples.*

J'accepte que mon fils/ma fille boive un peu d'alcool, mais pas souvent. Je trouve pénible que mon fils/ma fille soit de mauvaise humeur. Je n'accepte pas que mon fils/ma fille conduise sans permis. Je trouve sympa que mon fils/ma fille dorme chez des copains. J'accepte que mon fils/ma fille reçoive son copain/sa copine dans sa chambre. Je ne tolère pas que mon fils/ma fille sorte sans mon autorisation. Je trouve grossier que mon fils/ma fille boive directement à la bouteille. J'accepte que mon fils/ma fille mette mes vêtements s'il/elle me le demande. Je n'aime pas que mon fils/ma fille ait les cheveux rasés, mais c'est son choix. Je trouve normal que mon fils/ma fille se servent dans le frigo, s'ils sont raisonnables. J'accepte que mon fils/ma fille aillent à une rave party, s'ils ne prennent pas de stupéfiants.

4 **1.** Je trouve que les jeunes **sont**… et je trouve dangereux qu'ils **soient**… – **2.** J'estime que la vie **est…** et j'estime normal qu'il y **ait**… – **3.** Croyez-vous que les syndicats **soient**… Est-ce que vous pensez qu'ils **sont**… – **4.** Le principal, c'est que tout le monde **ait/prenne**… et que nous **restions**… – **5.** L'objectif c'est que l'entreprise **fasse**… et qu'elle **soit**… – **6.** Que le pouvoir d'achat **se soit**… et qu'il y **ait**… – **7.**… en supposant qu'il y **ait**… – **8.**… à supposer que les travaux **soient finis**… – **9** Supposons que vous **ayez**… que **ferez**-vous… – **10.** Que la politesse **soit**…

EXERCICES – page 181

1 **1.** Il faut que vous dormiez davantage et que vous fassiez plus de sport. – **2.** Il faut que vous preniez des congés et que vous partiez en vacances ! – **3.** Il faut que vous alliez à la piscine ! Il faut que vous buviez plus d'eau ! – **4.** Il faut que vous écriviez à vos amis ! Il faut que vous sortiez davantage ! – **5.** Il faut que vous mettiez des couleurs gaies ! Il faut que vous changiez de garde-robe ! – **6.** Il faut que vous fassiez des exercices ! Il faut que vous appreniez le subjonctif !

2 Il est scandaleux qu'un footballeur ait un salaire 1 000 fois supérieur à celui d'un médecin. Il est inquiétant que des milliers de postes d'infirmiers soient supprimés. Il est choquant qu'une star devienne un modèle à imiter et que les comiques de la télévision fassent la pluie et le beau temps. Il est affligeant que les émissions de téléréalité aient du succès dans le monde entier et que chaque émission fasse de la surenchère dans la vulgarité. Il est normal que les jeunes veuillent devenir riches et célèbres sans faire d'effort. Il est évident qu'ils ne savent plus ce qui est vrai ou faux, ce qui est réel et ce qui est virtuel. Il est dommage qu'ils ne sachent pas vivre sans ordinateur et qu'ils n'aient plus le temps ni l'envie de lire. Il est probable qu'ils auront du mal à trouver un emploi s'ils n'ont pas de qualification. Il est possible qu'ils aient accès à d'autres emplois et qu'ils soient plus solidaires et plus responsables que nous.

3 **1.** Eh bien qu'il sorte… Eh bien qu'il boive… Eh bien qu'il dorme… Eh bien qu'il fasse… mais qu'il ne vienne pas… –…j'empêcherai que mon fils boive… et qu'il sorte… – N'empêche qu'il boira… et qu'il sortira…
2. Je suis heureuse que Max **prenne/ait**… Pourvu qu'il **fasse** beau… il est probable qu'il **pleuvra**… il arrive aussi qu'il **fasse** très chaud…
3. … Il s'en est fallu de peu qu'elle **soit** renversée… le conducteur **a eu** de bons réflexes… – Il est fréquent qu'il y **ait** des accidents… Il se peut que la signalisation **soit** défectueuse…

1 C'est le seul qui ait mon adresse, qui vienne en voiture, qui connaisse le chemin, qui ait le code.

2 1. … qui **soit** très léger et qui **ait**… – 2. … qui **sait**… et qui **fait**… – 3. … qui **sache**… et qui **soit**… – 4. … qui **est**… et qui **a**… – 5. … qui **soit**… et où il n'y **ait**…

3 **Marco**
Marco est l'ami qui me **comprend**… c'est le seul qui me **comprenne**… les meilleures lasagnes qui **soient** : des lasagnes qui **sont**… Il **fait** très bien les gâteaux. C'est le seul qui **fasse**… C'est un garçon qui me **fait rire**. Je ne connais personne qui me **fasse rire**… C'est une des rares personnes auprès de qui je **me sente** bien. Tout le monde **se sent** bien…

[On accepte : le seul qui me comprend – le seul qui sait faire – auprès de qui je me sens bien.]

4 1. Il est rare qu'un homme **sache**… – 2. … C'est la plus belle fille que je **connaisse**. – 3. Je ne connais personne qui **ait** autant… – 4. Il y a très peu de gens qui **connaissent**… – 5. … il n'y a rien qui **soit**… – 6. … Il n'y a presque plus d'artisans qui **fassent**… – 7. … le seul restaurant que je **connaisse**… – 8. Il est rare qu'une viande **ait**…

5 1. … Le fait est qu'il **est** joli garçon… – 2. Le fait que tu **sois**… – 3. … C'est le moins que l'on **puisse** dire. – 4. Pour autant que je **sache**… – 5. Le fait est qu'il n'y **a** plus… – 6. … le fait qu'il y **ait** soleil est déjà pas mal.

2 Je dois te revoir avant de partir/avant que tu ne partes/avant que tu (ne) te maries/avant de me marier/avant que la journée (ne) finisse)/avant de rentrer au pays/avant que ton mari (ne) revienne.

3 1. Patientez en attendant qu'on vienne vous chercher. – 2. Restez chez vous en attendant qu'on vous fasse signe. – 3. Restez en contact en attendant qu'on vous dise que faire. – 4. Installez-vous en attendant qu'on vous reçoive.

4 1. Je travaillerai jusqu'à ce que tu reviennes. – 2. Je répéterai jusqu'à ce que tous les élèves comprennent. – 3. J'attendrai jusqu'à ce que le train parte. – 4. Je lirai jusqu'à ce que ma petite fille s'endorme

5 1. … tant qu'il ne **pourra** pas travailler… jusqu'à ce qu'il **puisse** travailler. – 2. … jusqu'à ce que tu **saches** ta leçon… tant que tu ne la **sauras** pas. – 3. … jusqu'à ce vous **obteniez** une réponse… tant que vous n'**obtiendrez** pas de réponse. – 4. … tant que tu ne **seras** pas majeur… jusqu'à ce que tu **sois** majeur.

6 1. … **jusqu'à ce qu**'il **perde** patience… – 2. … **tant que** la mer **sera** aussi agitée. – 3. … **tant qu**'il y **aura** des injustices sociales. – 4. … **jusqu'à ce que** toute la lumière **soit** faite. – 5. … **tant que** les travaux… ne **seront** pas finis. – 6. **Tant que** la loi sur les pesticides ne **sera** pas appliquée, notre santé **sera** en danger. – 7. … **jusqu'à ce qu**'un être humain me **réponde** !

1 … avant d'utiliser un appareil… après l'avoir utilisé – avant d'entrer… après être entré – avant de manger… après avoir mangé – avant de repasser… après avoir repassé – avant de retirer… après l'avoir retiré.

2   **1.** … après leur dispute/**après s'être disputés** – **2.** … après sa démission/**après avoir démissionné** – **3.** … après leur rencontre/**après s'être rencontrés** – **4.** … après leur défaite/**après avoir perdu** – **5.** après sa réussite/**après avoir réussi**.

3   **1.** … une fois qu'on a appris – **2.…** une fois qu'on a commencé – **3.** … une fois qu'on a compris/qu'on l'a comprise – **4.** … une fois qu'on l'a décongelé – **5.** … une fois que le feu est passé au vert pour eux.

4   **1.** …**en attendant que** le docteur… – **2** … **avant que** l'hiver… **dès que** le printemps… – **3.** … **jusqu'à ce que** vous trouviez… – **4.** … **d'ici que** tu aies fini… – **5.** … **tant qu**'ils ne sont pas majeurs. – **6.** … **dès que** j'ai ouvert… – **7. Tant qu**'il y a… – **8.** … **jusqu'à ce** qu'il n'y ait plus… – **9.** … **avant que** les parents…

5   *Exemples*
1. … tant qu'on **n'a pas vécu avec eux**. – **2.** … jusqu'à ce qu'ils **sachent voler**. – **3.** … tant que **le match ne sera pas terminé/fini**. – **4.** … tant que nous **pouvons**/tant que nous **sommes vivants**/tant que nous **vivons**. – **5.** … jusqu'à ce **que tu la saches/connaisses par cœur**.

EXERCICES – page 189

1

VERBES	INDICATIF PRÉSENT	SUBJONCTIF PRÉSENT
acheter	Ils achètent des fruits.	Il faut qu'il achète… Il faut que nous achetions…
jeter	Ils jettent les vieux journaux.	Il faut qu'il jette… Il faut que nous jetions…
étudier	Ils étudient le français.	Il faut qu'il étudie… que nous étudiions
conduire	Ils conduisent prudemment.	Il faut qu'il conduise… que nous conduisions…
repeindre	Ils repeignent le salon.	Il faut que je repeigne… que nous repeignions…
avoir	Ils ont de bonnes notes.	Il faut qu'il ait… que nous ayons…
dire	Ils disent la vérité.	Il faut qu'il dise… que nous disions…
copier	Ils copient un texte.	Il faut qu'il copie… que nous copiions…
finir	Ils finissent leurs exercices.	Il faut qu'il finisse… que nous finissions…
savoir	Ils savent nager.	Il faut qu'il sache… que nous sachions…
dormir	Ils dorment longtemps.	Il faut qu'il dorme… que nous dormions…
vivre	Ils vivent à l'étranger.	Il faut qu'il vive… que nous vivions…
balayer	Ils balayent/balaient la terrasse.	Il faut qu'il balaie… que nous balayions…
être	Ils sont prêts.	Il faut qu'il soit… que nous soyons…
éteindre	Ils éteignent l'ordinateur.	Il faut qu'il éteigne… que nous éteignions…
boire	Ils boivent de l'eau.	Il faut qu'il boive… que nous buvions…
prendre	Ils prennent le métro.	Il faut qu'il prenne… que nous prenions…
aller	Ils vont au marché.	Il faut qu'il aille… que nous allions…
envoyer	Ils envoient des courriels.	Il faut qu'il envoie… que nous envoyions…
voir	Ils voient des amis.	Il faut qu'il voie… que nous voyions…
croire	Ils croient à notre projet.	Il faut qu'il croie… que nous croyions…
venir	Ils viennent en taxi.	Il faut qu'il vienne… que nous venions…
faire	Ils font du sport.	Il faut qu'il fasse… que nous fassions…
pouvoir	Ils peuvent entrer sans badge.	Il faut qu'il puisse… que nous puissions…

2   **1. Je suis ravi(e)** que vous soyez… – **2. J'espère** qu'il fera beau… – **3. Ce serait ennuyeux** qu'il y ait… – **4. Je ne pense pas** que la voisine ait entendu… – **5. Il faudrait** que tu mettes… – **6. Il est probable** que Paul Durand sera élu… – **7. Il est surprenant** que vous n'aimiez pas… – **8. Je suis étonné(e)** que ton fils ait encore grandi…

1 Avant l'examen, il faut que vous ayez lu tous les livres au programme, il faut que vous ayez rédigé des fiches de lecture, il faut que vous ayez fait un maximum d'exercices, il faut que vous vous soyez documentés, il faut que vous ayez trié les informations recueillies, il faut que vous vous soyez exercés à parler en public.

2 1. Ça me fait plaisir qu'il se soit souvenu de mon anniversaire. – 2. Ça m'énerve qu'il ait encore oublié notre rendez-vous. – 3. Ça me surprend qu'il ait eu une mauvaise note en physique. – 4. Ça me fait de la peine qu'elle ait raté son examen. – 5. Ça m'ennuie qu'ils n'aient pas fini le chantier.

3 1. C'est bizarre que tu n'aies pas eu mon message… – 2. C'est bien que tu aies pensé à appeler… – 3. C'est bête que tu aies oublié… – 4. C'est génial que tu aies retrouvé… – 5. C'est embêtant que tu aies perdu.

4 1. Ce sont les gens les plus ennuyeux que j'aie jamais rencontrés… – 2. C'est le week-end le plus horrible que j'aie jamais passé… – 3. Ce sont les pâtes les plus mauvaises que j'aie jamais mangées… – 4. C'est l'ascenseur le plus ridiculement petit dans lequel je sois jamais monté… – 5. C'est le film le plus idiot que j'aie jamais vu à la télé.

5 **Mademoiselle Grimbert**
Je trouve qu'elle **est** plus belle… Je ne connais personne qui **ait** d'aussi beaux yeux…. J'ai l'impression que tout le monde **est** amoureux d'elle et j'ai le sentiment que toute la classe **fait** des efforts… Il arrive que Mademoiselle Grimbert **fasse** son cours de sciences dehors…, et il est fréquent qu'elle nous **lise** des livres de contes… Les poésies sont les plus jolies que nous **ayons** jamais **apprises**, les musiques sont les plus belles que nous **ayons** jamais **écoutées**, et nos résultats scolaires sont les meilleurs que nous **ayons** jamais **eus**. On est surpris que mademoiselle Grimbert **soit** toujours positive et qu'elle ne se **mette** jamais en colère.

1 Si je travaillais moins, je ferais plus de sport. Si je faisais plus de sport, je serais plus musclé(e). Si j'étais plus musclé(e), j'aurais plus de résistance. Si j'avais plus de résistance, je serais moins fatigué(e). Si j'étais moins fatigué(e), je travaillerais plus.

2 1. Si je gagne au Loto, j'achèterai une maison. – 2. Si on rate le bus, on prendra le suivant. – 3. Si tu cherches bien, tu trouveras la solution. – 4. Si j'avais vingt ans, je voyagerais. – 5. Si tu fais une sieste, tu te sentiras mieux. – 6. Si j'étais plus courageux, je démissionnerais. – 7. S'il faisait beau, nous déjeunerions dehors. – 8. Si j'étais toi, j'accepterais cette offre.

3 1. Si je **bois** du café après cinq heures… – 2. Si la température **descend** en dessous de zéro… – 3. Si tu me **prêtes** ton portable… – 4. L'ordinateur s'allume si **on appuie** sur le bouton… – 5. Si tu **rates** ton examen en juin… – 6. Si tu as mal à la tête, **prends** tout de suite… – 7. Si le conducteur **n'avait pas brûlé** le feu rouge… – 8. Si quelqu'un m'appelle, **dites-lui**… – 9. Si tu es bien sage, le Père Noël t'**apportera**… – 10. Si les voisins **n'avaient pas appelé** les pompiers… – 11. Si, par miracle, **il fait/faisait** beau le week-end prochain, on pourrait aller à la plage.

4 *Exemples*
1. Si la caissière d'un supermarché me rendait trop d'argent je le lui signalerais et je le lui rendrais/je ne dirais rien et je le garderais. – 2. Si un petit enfant jouait avec un couteau, je le lui enlèverais des mains et je le mettrais hors de portée. – 3. Si un SDF ivre m'insultait dans la rue, je l'ignorerais et je regarderais ailleurs. –

4. Si je montais dans le bus et que je me rende compte que je n'ai ni argent ni ticket, je descendrais immédiatement à la prochaine station. – **5.** Si on me proposait de me lire les lignes de la main, je partirais en courant !/Je refuserais. – **6.** Si je trouvais une statuette ancienne enterrée dans mon jardin, je la montrerais à un expert.

EXERCICES – page 194

2 Si la candidate avait une voiture, si elle connaissait l'informatique, si elle avait un peu plus d'expérience, si elle avait davantage/plus d'ambition, si elle était disponible le samedi, si elle était moins timide, je l'embaucherais.

3 *Exemples*
1. Si mon propriétaire double mon loyer, je déménagerai. Mais avant je contacterai un avocat pour avoir des conseils. – Si je bois trop d'alcool, je m'endormirai et le lendemain j'aurai une migraine/je serai patraque. – Si j'oublie de recharger mon portable, je ne pourrai pas téléphoner/je serai ennuyé(e).
2. Si le soleil s'éteignait, la terre se refroidirait, ce serait la nuit, toutes les espèces mourraient. – Si on avait des ailes, on pourrait se déplacer dans les airs, sans bruit. Ce serait merveilleux. – Si tous les hommes devenaient végétariens, on n'élèverait plus d'animaux pour les manger, la pollution diminuerait et l'humanité retrouverait la santé.
3. Si le feu avait pris chez moi en mon absence et si personne ne s'en était rendu compte, tout aurait brûlé. – Si mon père n'avait pas rencontré ma mère, je ne serais pas né(e) (sauf si j'étais né(e) « in vitro »). – Si Christophe Colomb avait été peintre (au lieu de navigateur), il n'aurait pas découvert l'Amérique.

4 **1.** Si on m'attaquait, que je sois seul dans la rue et qu'on me prenne mon portefeuille, je n'essaierais pas de résister, je le donnerais, puis j'irais porter plainte à la police. – **2.** Si ma femme (mon mari) me trompait et que je le sache (que je l'apprenne), je lui parlerais et si c'est sérieux, je le/la quitterais. – **3.** Si je marchais dans la rue, qu'il se mette à pleuvoir et que je n'aie pas de parapluie, je me réfugierais dans un café/sous un auvent/sous un porche… – **4.** Si je faisais la queue à la poste et qu'une vieille dame passe devant moi sans rien dire, je lui sourirais et je lui dirais : « Je vous en prie, madame. » – **5.** Si j'étais dans un café et que quelqu'un parte en oubliant son portable sur une table, je courrais derrière la personne et je le lui rapporterais/je le remettrais à la caisse.

EXERCICES – page 195

2 **Quelle poisse !**
Si on avait écouté la radio avant de partir, on aurait su qu'il allait neiger et on aurait emporté des chaînes. On ne serait pas restés coincés sur la route dans un motel minable, comme des idiots. J'aurais pris mon ordinateur et on aurait pu voir les super DVD que j'avais emportés. On n'aurait pas été obligés de regarder des trucs débiles à la télé. J'aurais pris des chaussures fourrées, et je ne me serais pas enrhumée. J'aurais pu profiter de la neige.

3 **1.** Si tu rangeais mieux tes affaires, tu serais moins paniqué(e). – **2.** Si tu parlais moins vite, on comprendrait mieux ce que tu dis. – **3.** Si les spectacles coûtaient moins cher, les gens sortiraient plus souvent. – **4.** Si les jeunes lisaient davantage, leur vocabulaire serait moins limité/plus riche. – **5.** Si le réseau était plus puissant, mon portable marcherait mieux. – **6.** Si tu avais réservé les billets de train plus tôt, tu aurais trouvé de la place. – **7.** Si Léa avait trié son linge, ses vêtements n'auraient pas déteint. – **8.** Si on avait fait moins de publicité pour ce film, il y aurait eu moins de spectateurs. – **9.** Si on avait trouvé la fuite plus tôt, il y aurait eu moins de dégâts.

2 **1.** Je serais en vacances, j'irais à la plage. – **2.** Il ferait beau, on ferait une balade. – **3.** Je serais plus jeune, je ferais le tour du monde. – **4.** J'aurais joué le 10, j'aurais gagné un million. – **5.** Tu serais venu plus tôt, tu aurais vu Julie.

3 Appelez-moi au cas où vous passeriez dans le quartier, au cas où vous seriez libre pour déjeuner, au cas où vous auriez besoin de quelque chose, au cas où vous voudriez avoir d'autres informations.

4 **Mise en garde**
Finis ton plat, sinon/sans ça/autrement tu n'auras pas de dessert. Mets de la crème, sinon/sans ça/autrement tu vas prendre un coup de soleil. Dépêche-toi, sinon/sans ça/autrement on sera en retard. Prépare ton examen, sinon/sans ça/autrement tu risques de le rater.

5 **1.** Je ne l'accompagnerais pas, même s'il me suppliait/quand bien même il me supplierait. – **2.** Je ne lui pardonnerais pas même s'il regrettait/quand bien même il regretterait. – **3.** Je ne leur aurais pas ouvert, même s'ils avaient insisté/quand bien même ils auraient insisté. – **4.** Je les aurais dénoncés même s'ils m'avaient menacé(e)/quand bien même ils m'auraient menacé(e). – **5.** Je serais parti(e) à la campagne, même s'il avait neigé/quand bien même il aurait neigé.

6 **1.** Si tu ne m'avais pas aidé(e), j'aurais raté mes examens. – **2.** Si j'avais fait un pas de plus, je serais tombé(e) dans le vide. – **3.** Si notre capitaine n'avait pas été expulsé, notre équipe aurait gagné le match. – **4.** Si notre candidat avait eu 100 voix de plus, il aurait été élu. – **5.** Si tu avais mis un peu plus de sel dans ton plat, il aurait été divin.

2 **1.** Paul peut jouer dehors à condition/pourvu qu'il mette des bottes. – **2.** Je veux bien aller à la manifestation à condition que tu viennes avec moi. – **3.** Je te prête ma voiture, à condition que tu me la rendes samedi. – **4.** Vous pourrez déjeuner en terrasse à condition que vous veniez avant midi. – **5.** Le spectacle a lieu/aura lieu à condition qu'il y ait plus de 20 personnes. – **6.** Un élève passe dans la classe supérieure condition qu'il ait la moyenne. – **7.** Mes jumeaux sont sages à condition d'être séparés/à condition qu'ils soient chacun de leur côté.

3 **Souhaits**
Pourvu qu'il ne pleuve pas ! Pourvu qu'on puisse partir tôt. ! Pourvu qu'il n'y ait pas trop de monde sur les routes. ! Pourvu que Jo puisse nous rejoindre. ! Pourvu qu'il ne vienne pas avec son horrible chien. Pourvu que les hôtels ne soient pas complets.

4 **1.** Je sortirai, à moins qu'il ne pleuve. – **2.** Je vous offre un café, à moins que vous ne soyez pressé. – **3.** On ne pourra pas partir, à moins de faire le pont. – **4.** J'irai à l'hôtel Luxor à moins qu'il ne soit fermé. – **5.** Je te téléphonerai à moins qu'il ne soit trop tard. – **6.** On ne peut pas aller sur ce site, à moins d'être abonné.

5 **1.** Vous êtes engagé pour un an dès lors que/du moment que vous avez signé le contrat. – **2.** Comment ne pas se révolter dès lors que/du moment que nos droits ne sont pas respectés ? – **3.** Nous sommes déterminés à nous battre dès lors que/du moment qu'il n'y a plus d'autre issue. – **4.** Engageons la procédure dès lors que/du moment que vous ne voyez pas d'obstacle à cette démarche.

6 **1.** … **en admettant** que la direction **fasse** des concessions… – **2.** … **pour peu qu'**on lui **fasse** un compliment… – **3.** Nous vous rembourserons **en admettant que/si tant est que** vous **puissiez** prouver notre erreur. – **4.** … **qu'**il **fasse** chaud ou **qu'**il **fasse** froid. – **5.** La justice est très partiale, selon que l'on **est** riche ou pauvre. – **6.** … **pour peu qu'**il **fasse** un peu de sport.

2 **1.** Un chauffeur de bus a été de nouveau agressé. Une grève des transports a été annoncée. – **2.** Un chef de gang a été arrêté. 300 kilos de cocaïne ont été saisis. – **3.** Un tableau de Goya a été découvert. Il a été estimé à 3 millions d'euros. – **4.** Le patron du « Disco » a été assassiné. Deux suspects ont été interpellés. – **5.** Le trafic ferroviaire a été paralysé par la neige. Les voyageurs ont été indemnisés. – **6.** Une tour a été détruite par le feu. 150 personnes ont été évacuées.

3 **La pyramide du Louvre**
Conçue **par** l'architecte sino-américain Ieoh Ming Pei, la pyramide **a été** inaugurée en 1989. Cette œuvre photographiée **par** les amateurs du monde entier est aujourd'hui connue et appréciée **de** tous. Entièrement composée **de** segments de verre, la pyramide de Pei, comme la tour Eiffel, **a été** attaquée au départ **par** un certain nombre de détracteurs…

4 **1.** Ce médicament **se prend** à jeun. – **2.** Le champagne **se boit** glacé. – **3.** Les timbres **se vendent** à la poste. – **4.** Le linge délicat **se lave** à 30°. – **5.** Le verre **se fabrique** avec du sable. – **6.** Ce blouson **se ferme** avec un zip.

5 **1.** Les otages qui avaient été enlevés ont été libérés. – Où avaient-ils été enlevés ? – Ils avaient été enlevés devant leur domicile. – Quand ont-ils été libérés ? – Ils ont été libérés hier soir.
2. Le député qui avait été accusé a été acquitté. – Pourquoi avait-il été accusé ? – Il avait été accusé de corruption. – Par qui avait-il été accusé ? – Il avait été accusé par sa propre femme.
3. Les tableaux qui avaient été volés ont été retrouvés. – Quels tableaux avaient été volés ? – Des tableaux de Picasso. – Où ont-ils été retrouvés ? – Ils ont été retrouvés chez un antiquaire.
4. Le théâtre qui avait été détruit a été reconstruit. – Comment avait-il été détruit ? – Il avait été détruit par un incendie. – En combien de temps a-t-il été reconstruit ? – Il a été reconstruit en deux ans.
5. La façade qui avait été taguée a été repeinte. – Par qui avait-elle été taguée ? – Elle avait été taguée par des jeunes.
6. Les manifestants qui avaient été arrêtés ont été relâchés. – À quelle occasion avaient-ils été arrêtés ? – Ils avaient été arrêtés lors d'une manifestation contre les OGM (organismes génétiquement modifiés).

1 **Mésaventures**
Il s'est cassé une dent en mangeant du nougat. Il a sali ses chaussures en marchant dans la boue. (ou : il s'est sali les chaussures…). Il s'est tordu la cheville en faisant du tennis. Il s'est pincé le doigt en fermant la portière de la voiture. Il a dérapé en prenant le virage trop vite. Il s'est blessé en jouant avec un couteau.

2 **Ce travail est peut-être pour vous :**
Recherche personne parlant espagnol couramment, ayant entre 30 et 40 ans, connaissant bien l'informatique, sachant prendre des initiatives, ayant vécu à l'étranger, étant disponible le week-end.

3 **1.** faisant plus de dix kilos – **2.** ayant passé l'examen – **3.** connaissant des poèmes par cœur – **4.** ayant connu Marie Julliard – **5.** ayant obtenu une note – **6.** contenant trop de produits chimiques – **7.** ayant vécu à Bruxelles – **8.** ayant assisté à l'attaque de la banque – **9.** ne sachant pas utiliser un ordinateur.

4 **1. en essayant** de la nettoyer… **essayant** de pénétrer… – **2.** Je me suis étranglé **en buvant** de travers… **buvant** mon porto en cachette ! – **3. faisant** plus d'un mètre quatre-vingt-dix… **en faisant** un numéro d'acrobate… – **4. en dansant** le rock… **dansant** devant nous…

5 1. … un portefeuille **contenant** mille euros ! – **2.** … une voiture **roulant** à 200 km à l'heure… – **3.** une femme de ménage **sachant** cuisiner. – **4.** … une femme **ayant** le double de son âge ! – **5.** … une valise **pesant** plus de 30 kilos. – **6.** Des caisses **contenan**t plusieurs kilos de haschich… – **7.** Tous les étudiants **ayant passé** les épreuves écrites… – **8.** Tous les spectateurs **ayant envoyé** un SMS…

EXERCICES – page 205

1 1. intéress**ant**, enrichiss**ante** – **2.** viv**ant**, viv**ants**. – **3.** tomb**ante**, pénét**rant** – **4.** prévoy**an**t, prévoy**ante** – **5.** sépar**ant**, viv**ante**.

2 1. navi**guant** – **2.** navi**gant** – **3.** provo**quant** – **4. provocants** – **5.** conver**geant** – **6.** diver**gentes**, conver**gents** – **7.** négli**geant** – **8.** négli**gente** – **9.** précéd**ente** – **10.** précéd**ant** – **11.** suffo**quant** – **12.** suffo**cante** – **13.** l'excéd**ent** – **14.** excéd**ant** – **15.** convain**cants**, cho**quante** – **16.** diffé**rant** – **17.** diffé**rend**, diffé**rent** – **18.** trafi**quant**, fabri**cant** – **19.** émer**geant**, suffo**quant**, négli**gence** – **20.** résid**ents**, oblig**eance** – **21.** rési**dant**, exig**eants** – **22.** adhé**rent**, intri**guant**, adhé**rents**.

3 1. escaliers roulants – **2.** poste restante – **3.** un toit ouvrant – **4.** un compte courant – **5.** une rue passante – **6.** donnant-donnant – **7.** à la nuit tombante – **8.** une expression courante.

EXERCICES – page 207

1 **L'étranger**
… parce que j'<u>ai pensé</u> qu'il <u>allait me dire</u> de moins téléphoner… Il m'<u>a déclaré</u> qu'il <u>allait me parler</u> d'un projet… et il <u>voulait savoir</u> si j'<u>étais disposé</u> à y aller. (…) J'<u>ai dit</u> que oui mais que dans le fond cela m'<u>était égal</u>. Il m'<u>a demandé</u> alors si je <u>n'étais pas intéressé</u> par un changement de vie. J'<u>ai répondu</u> qu'on ne <u>changeait</u> jamais de vie, qu'en tout cas toutes se <u>valaient</u> et que la mienne ici ne me <u>déplaisait</u> pas du tout. Il a eu l'air mécontent, <u>m'a dit</u> que je <u>répondais</u> toujours à côté, que je n'<u>avais</u> pas d'ambition et que cela <u>était</u> désastreux dans les affaires. (…)
… et elle <u>a déclaré</u> qu'elle <u>voulait</u> se marier avec moi. J'<u>ai répondu</u> que nous le <u>ferions</u> dès qu'elle le <u>voudrait</u>. Je lui <u>ai parlé</u> alors de la proposition du patron et Marie m'<u>a dit</u> qu'elle <u>aimerait</u> connaître Paris. Je lui <u>ai appris</u> que j'y <u>avais vécu</u> dans un temps et elle m'<u>a demandé</u> comment c'<u>était</u>…

2 **Grand-mère**
La grand-mère a dit à son petit-fils d'entrer et d'enlever son manteau. Elle lui a dit qu'elle avait fait des crêpes et elle lui a demandé s'il en voulait. Elle lui a dit de s'asseoir. Elle lui a demandé s'il était allé au cinéma. Elle lui a demandé ce qu'il avait vu et si ça lui avait plu. Elle lui a dit qu'ils allaient passer l'après-midi à la piscine avec sa cousine, qu'il y aurait d'autres jeunes, que ça l'amuserait et que ça lui ferait du bien. Elle lui a dit de prendre son maillot.

3 **À monsieur Castro**
Madame Bourgoin, la concierge a téléphoné. Elle a dit qu'elle avait besoin des clés de la cave parce qu'elle avait perdu les siennes. Elle a dit que les employés du gaz passeraient le lendemain entre 8 et 10 heures et qu'il faudrait leur ouvrir. Elle a dit que si monsieur Castro était d'accord, ils sonneraient chez lui. Elle lui a dit d'appeler au 01 02 03 04 s'il y avait un problème.

4 **À la jeune maman**
Sophie a appelé la jeune maman. Elle lui a demandé à quelle heure était né son bébé, comment il allait, combien il pesait. Elle lui a demandé si elle avait souffert, si elle l'allaitait, si elle avait une chambre individuelle. Elle a dit qu'elle pensait passer le lendemain et elle lui a demandé si ça lui convenait. Elle lui a demandé aussi ce qui lui ferait plaisir. Elle a dit qu'il y avait de belles fleurs dans le jardin et elle a demandé si elle pouvait en apporter.

5   **Au responsable du dépôt**

Marc Blomet nous a appelés hier. Il a signalé que le lot de batteries que nous lui avions expédié la veille était défectueux et qu'il faudrait de toute urgence le retirer du marché. Il a dit qu'il nous le renverrait aujourd'hui par camion sécurisé. Il a précisé qu'ils déduiraient des factures aussi bien le montant des lots restitués que les frais engagés à cette occasion.

EXERCICES – page 208

1   **1.** Je ne sais pas ce que Sonia cherche désespérément et je me demande si je peux l'aider. – **2.** Je me demande ce que Nick est allé faire rue Saint-Denis et quand il va revenir. – **3.** J'aimerais savoir ce que disait le SMS qu'a reçu Jacek et pourquoi il rit comme ça. – **4.** Je me demande si Karolina a fini son reportage et où elle est en ce moment. – **5.** Je ne sais pas pourquoi Yakub est si élégant aujourd'hui ? Je me demande s'il a mis ses belles chaussettes rouges. – **6.** Je me demande si nous pourrons pique-niquer demain. Je ne sais pas ce que la météo a annoncé. – **7.** J'aimerais bien savoir ce que Dorota a écrit dans son journal intime et pourquoi elle est si rêveuse. – **8.** Je ne sais pas si on regardera le match à la télé et je me demande si le PSG va retrouver sa forme. – **9.** – J'aimerais savoir ce que fait Darek pour être si musclé et je me demande s'il fait des pompes tous les matins ?

2   **1.** Le porte-parole des syndicats a affirmé que dix-huit ouvriers avaient trouvé la mort sur les chantiers de T. en six mois. Il a ajouté que cette hécatombe n'était pas due au hasard et que ce n'était pas le destin mais que c'était des accidents du travail et que les normes de sécurité n'avaient pas été respectées.
2. Le ministre de l'Intérieur a déclaré que le policier qui avait été agressé lors d'affrontements avec des manifestants lundi dernier avait succombé à ses blessures. Il a précisé que la victime n'était pas décédée dans la rue, comme l'avaient annoncé les médias mais à l'hôpital où elle avait été transportée.
3. Le chef de la protection civile italienne a annoncé que le nombre des victimes du tremblement de terre de L'Aquila s'établissait autour de 200 morts et de 1 500 blessés, qu'il faudrait reloger près de 50 000 sans-abri et il faudrait des années pour réparer les dégâts.

EXERCICES – page 209

1   **1.** Le suspect a avoué qu'il avait tué la voisine… – **2.** La caissière a reconnu qu'elle avait fait une erreur… – **3.** Le témoin a juré qu'il dirait toute la vérité… – **4.** Le jeune homme a prétendu qu'il avait moins de 16 ans… – **5.** La jeune fille a promis qu'elle rentrerait avant minuit… – **6.** Le vendeur a garanti que nous serions remboursés si nous n'étions pas satisfaits… – **7.** L'élève a nié avoir copié sur son voisin… – **8.** Le directeur de l'école nous a ordonné de nous lever… – **9.** Le jeune homme a annoncé qu'il allait se marier… – **10.** Le médecin m'a conseillé de faire plus d'exercices et de manger moins…

2   **1.** Le gendarme a assuré qu'il n'y avait plus aucun danger et qu'on avait dégagé la route. – **2.** L'institut de sondage a estimé que le taux d'abstention atteindrait au moins 40 pour cent. – **3.** L'acteur célèbre a confié qu'il n'avait pas confiance en lui et qu'il tremblait chaque fois qu'il entrait sur scène. – **4.** La météo a annoncé qu'il allait pleuvoir sur toute la France et qu'il y aurait des orages dans le Sud. – **5.** L'homme politique a laissé entendre qu'il se représenterait peut-être aux prochaines élections. – **6.** La voisine du 1er a remarqué que le voisin du second avait rasé sa moustache/s'était rasé la moustache.

3   **1.** « J'ai menti », avoua-t-il. – **2.** « Je ne le ferai plus », jura-t-il. – **3.** « Taisez-vous », leur ordonna-t-elle. – **4.** « Attendez », lui demanda-t-elle. – **5.** « Nous sommes pressés », lui répondirent-ils. – **6.** « Je vais avoir un enfant », annonça-t-elle.

1. Est-ce que vous croyez que l'homme **est** supérieur aux autres animaux ? Pourquoi ?

2. Vous paraît-il souhaitable que l'homme **vive** plus de cent ans ? Imaginez les conséquences.

3. Trouvez-vous normal que les banques **fassent** des profits avec votre argent ? Y a-t-il des alternatives ?

4. Dans quel lieu est-ce que vous **aimeriez** vivre, si vous **aviez** le choix ? Imaginez.

5. Pensez-vous qu'un jour tous les hommes **parleront** la même langue et **auront** la même culture ?

6. Si vous **gagniez** un million d'euros au Loto, que **feriez-vous** de cet argent ?

7. Souhaiteriez-vous que l'humanité **devienne/soit** végétarienne et que les animaux **redeviennent** sauvages ?

8. Ne croyez-vous pas qu'il **y a** trop de monde sur terre ? Faut-il que les naissances **soient** contrôlées ?

9. Si vous **étiez** président(e) de votre pays, quelles sont les mesures que vous **prendriez** ?

10. Pensez-vous qu'il **y aura** toujours des pauvres et des riches, quoi qu'on **fasse** ?

11. Croyez-vous que la planète **continuera** à se réchauffer et que nous **manquerons** d'eau un jour ?

12. Trouvez-vous regrettable que les jeunes ne **lisent** plus de livres et qu'ils ne **sachent** plus écrire à la main ?

13. Pensez-vous que les campagnes publicitaires à but humanitaire **soient** efficaces ? Justifiez.

14. Est-ce que vous pensez que le téléchargement gratuit **est** une bonne chose ? Donnez le pour et le contre.

15. Pensez-vous qu'un jour notre alimentation **sera** totalement contaminée ? Que faire ?

16. Pensez-vous qu'on **puisse/peut** faire obstacle aux trafi**quant**s de drogue en léga**lisant** le cannabis ?

17. Avez-vous le sentiment que le monde **va** trop vite et qu'on ne **prend** plus le temps de vivre ?

18. Jugez-vous que l'idée de ramener l'âge de la majorité à 16 ans **est** dangereuse ?

19. Est-ce que cela vous surprend qu'il y **ait** toujours des guerres quelque part ?

20. Est-ce que votre vie **serait** différente si vous **étiez** d'un autre sexe ?

21. Trouvez-vous dommage que parents et grands-parents ne **vivent** plus sous le même toit familial ?

22. Que pensez-vous du fait que l'image **soit** omniprésente dans la vie quotidienne ?

23. Quel don particulier **aimeriez-vous** avoir ? Quel métier ne **feriez-vous** sous aucun prétexte ?

24. Est-ce que cela vous plaît ou est-ce que cela vous laisse indifférent qu'on vous **fasse** des compliments ?

25. Si vous **jouiez** d'un instrument dans une fanfare, de quel instrument **joueriez-vou**s ?

27. Ne trouvez-vous pas scandaleux qu'un homme sur cinq **meure** de faim et que des populations entières n'**aient** pas accès à des médicaments de base ?

28. Que se **passerait**-il à votre avis si on **pouvait**, un jour, cloner l'espèce humaine ?

29. Quel est le film le meilleur que vous **ayez vu**, la personne la plus extraordinaire que vous **ayez rencontrée**, le rêve le plus affreux que vous **ayez fait**, la chanson la plus belle que vous **ayez** entendue ?

30. Si vous **saviez** que vous allez mourir demain, que **feriez**-vous ?

EXERCICES – page 215

1 **Acrobate**

… je n'ai pas pu répondre <u>parce que</u> j'étais en voiture. <u>Pourquoi</u> est-ce que tu m'as cherché ? <u>Parce que</u> j'ai perdu mes clés… <u>comme</u> il n'y avait plus de pain… <u>comme</u> il faisait noir… comment as tu fait pour rentrer <u>puisque</u> tu n'avais pas de clé ? … <u>comme</u> la fenêtre de sa chambre est à côté de la fenêtre de notre salon et <u>que</u> notre fenêtre était ouverte… <u>Si</u> je l'ai fait <u>c'est parce qu'</u>il y avait peu de risques, <u>qu'</u>il fallait sortir le rôti du four et <u>que</u> c'était rigolo…

2   **1.** Il a été arrêté parce qu'il a insulté un agent de police. – **2.** Comme il est sorti sans autorisation, il a été puni. – **3.** Elle a pris un taxi parce qu'elle était en retard. – **4.** Comme elle était mal garée, elle a eu une contravention. – **5.** Comme il s'est dopé, il a perdu son titre de champion. – **6.** La route est barrée parce qu'il y a des travaux.

3   **1**. parce que – **2.** puisque – **3.** puisque – **4.** parce que – **5.** puisque – **6.** puisque – **7.** parce que – **8.** puisque.

4   **1.** … mais **comme** il faisait beau… – **2. Puisque** tu dis que… – **3.** … **comme** je n'avais que deux œufs… – **4.** … tu seras remboursé(e) **puisque** tu es assuré(e) ! – **5. Comme** le joggeur… – **6.** … **puisque** tu aimes ça… – **7. Comme** les élections…

5   *Exemples*

Une panne d'essence. Ma femme et moi nous voulions aller à la campagne. Nous avons dû nous arrêter à quelques kilomètres à peine de la ville : notre fille avait emprunté la voiture la veille et comme elle avait consommé toute l'essence sans rien nous dire, nous sommes tombés en panne sèche… Puisqu'elle se comporte de façon si désinvolte, nous ne lui prêterons plus jamais la voiture.

Un repas raté. J'avais invité quelques amis à dîner. J'avais acheté un rosbif que je voulais faire cuire au four, avec des pommes de terre. Mais deux minutes après le début de la cuisson, l'électricité a sauté. Comme je n'avais plus de fusibles et que tous les magasins sont fermés le dimanche, nous avons décidé de transformer le rosbif en… carpaccio et de le manger avec des chips. C'était désastreux. Mais comme nous avons mangé à la lueur des bougies, c'était sympathique.

Une dispute. On était en voiture et Marc m'a demandé de lui indiquer la direction. Mais comme il écoutait en même temps son GPS et que les indications étaient différentes des miennes, on a commencé à se disputer. C'était tellement insupportable que je suis descendue à la station-service et que je suis rentrée en auto-stop.

Un gros rhume. C'était le premier jour des vacances. Nous sommes arrivés au bord de la mer en fin de journée. J'ai voulu prendre un bain malgré l'eau glaciale et l'heure tardive. J'ai pris froid et j'ai eu un gros rhume qui a duré une semaine.

EXERCICES – page 216

2   **1. Parce que** la boutique a pris feu et **que** le feu s'est propagé… Mais **comme** les pompiers sont arrivés… et **comme/qu'**il n'y avait personne… – **2. Parce que** j'étais malade et **que** j'ai passé la nuit… **Puisque** vous étiez si malade… – **3. Puisque** tu es allergique pourquoi… **Parce que** j'avais déjà dit « non » … **comme** il ne restait que des poissons et **comme/que** les poissons me rendent nerveux…

3   *Exemples*

1.… parce que je me suis cassé la main droite. – **2.** Comme il y avait trop de brouillard… – **3.**… puisque c'est toi qui conduisais et qui es entré(e) dans le mur. – **4.** Comme le chauffage est tombé en panne en notre absence… – **5.**… puisque nous sommes tous d'accord. – **6.**… parce qu'il a fait de grands progrès à l'école. – **7.** Puisque tu es si peu soigneux/soigneuse… – **8.** Comme il y avait beaucoup de monde…

4   **Paule Roseval**

– **Comme** il y avait une carte de piscine… mais **comme/qu'**il n'y avait pas de numéro… **comme** je ne savais pas… **parce qu'**il n'y avait personne… **puisqu'**elles savent… je vais garder l'argent, **puisque** personne ne l'a réclamé.

1 **Montréal.** L'aéroport de Montréal a été fermé car y a eu une violente tempête de neige. Comme le système radar a été perturbé, tous les vols ont été suspendus.

Lyon. Le centre-ville a été bloqué pendant plusieurs heures par une manifestation contre la réforme scolaire. Comme plusieurs voitures ont été brûlées, la police est intervenue.

Lille. Le plafond d'un supermarché s'est effondré parce que la neige s'était accumulée sur le toit. Comme l'incident s'est produit à une heure creuse, il n'y a eu aucune victime/on ne déplore aucune victime.

Marseille. Une alerte à la bombe a provoqué une grande bousculade au stade de football. Comme la sortie de secours était encombrée, il y a eu 35 blessés.

Paris. Un étudiant a été condamné à 1 an de prison pour avoir usurpé l'identité des clients d'une banque. Comme il avait envoyé des e-mails factices d'apparence officielle, il avait réussi à récupérer des données personnelles et il a escroqué plusieurs milliers d'euros. (Ou : en envoyant des e-mails factices…)

2 *Exemples*
Le plus grand événement de l'histoire de France est sans doute la prise de la Bastille le 14 juillet 1789 qui a marqué le début de la Révolution française.
Le plus grand événement pour mon pays, l'Allemagne, c'est, selon moi, le 9 novembre 1989 avec la chute du mur qui séparait Berlin en deux et la réunification du pays.

3 *Exemples*
Des camions contenant des fruits ont déversé leur contenu dans plusieurs rues de la capitale provoquant un énorme embouteillage qui a duré plus de deux heures.

1 **Un match difficile**
Notre équipe a gagné <u>grâce au</u> but… <u>à cause de</u> l'arbitre… <u>sous prétexte qu</u>'un attaquant… <u>pour</u> avoir contesté… <u>par</u> solidarité… <u>à force de</u> contre-attaquer… fous <u>de</u> joie.

2 **1.** Léa a raté son examen oral à cause de sa timidité. – **2.** Les banques ont été sauvées grâce à l'intervention de l'État. – **3.** Le joueur n'a pu terminer le match à cause de sa blessure. – **4.** Le candidat a été élu grâce au soutien de ses électeurs. – **5.** Les glaciers fondent à cause du réchauffement climatique.

3 **1.** faute d'avoir anticipé les événements. – **2.** faute d'avoir suffisamment révisé. – **3.** faute de s'être inscrites sur les listes. – **4.** faute d'avoir réagi à temps. – **5.** faute d'avoir répondu à la dernière question.

4 **1.** Être condamné **pour** fraude fiscale. – **2.** Se sacrifier **par** amour. – **3.** Faire grève **par** solidarité. – **4.** Être mis en examen **pour** corruption. – **5.** Être puni(e) **pour** mauvaise conduite.

5 **1.** on tremble **de froid** – **2.** tu tombes **de sommeil** – **3.** Il est rouge **de colère**. **4.** Je meurs **de faim**.

6 **1.** à force de crier. – **2.** à force de travailler. – **3.** à force de manger. – **4.** à force de chercher.

7 **1.** pour avoir tenu des propos racistes. – **2.** pour avoir commis une faute grave. – **3.** pour s'être garée en double file. – **4.** pour être arrivé premier. – **5.** pour s'être plaint de ses conditions de travail.

8 *Exemples*
On nous a refusé l'entrée de la discothèque sous prétexte que c'était complet. Le propriétaire a augmenté le loyer sous prétexte que la façade de l'immeuble a été rénovée. On nous impose l'énergie nucléaire sous prétexte que ce n'est pas polluant. Le concert de rock en plein air a été annulé sous prétexte que ça gênait les habitants du quartier.

1 **Le droit à la santé**

<u>Si</u> le droit à la santé… <u>c'est parce que</u> la santé… <u>Comme</u> nous sommes tous vulnérables… <u>grâce aux</u> progrès de la science… <u>à cause de</u> l'inégalité… <u>par manque de</u> structures… <u>À force de</u> fermer des hôpitaux… Cette situation est <u>d'autant plus</u>… <u>Si</u> certaines personnes… <u>ce n'est pas</u> qu'elles aient… <u>c'est qu'</u>elles n'ont pas… <u>puisque</u> nous sommes conscients…

2 **1.** J'ai d'autant plus envie de partir qu'il fait un temps superbe. – **2.** J'ai d'autant moins envie de sortir qu'il fait un froid de canard. – **3.** Son record est d'autant plus remarquable qu'il est handicapé moteur. – **4.** J'ai d'autant moins de chance d'être sélectionné(e) qu'il y a beaucoup de candidats. – **5.** Elles sont d'autant meilleures qu'elles sont cuites au feu de bois. – **6.** Ils travaillent d'autant mieux qu'ils se sentent encouragés. – **7.** Il est d'autant plus inexcusable qu'il l'a agressée sans raison.

3 Si je ne vois plus les Dubois, ce n'est pas que je sois fâchée, ce n'est pas que je leur en veuille, ce n'est pas qu'ils m'aient déplu, ce n'est pas qu'ils aient été désagréables, ce n'est pas qu'il y ait eu un conflit entre nous, c'est parce qu'ils sont trop ennuyeux !

Soit qu'elle soit fâchée, soit qu'elle leur en veuille, soit qu'ils lui aient déplu, soit qu'ils aient été désagréables, soit qu'il y ait eu un conflit entre eux, Anna ne voit plus les Dubois !

4 *Exemples*

Si j'ai dû reporter notre rendez-vous, c'est parce que j'étais malade. Si les rues sont inondées, c'est parce que la rivière a débordé. Si la baignade est interdite, c'est parce que les eaux sont polluées.

2 **1** Croyant que l'appartement était vide, le voleur s'y est introduit en plein jour. – **2.** Ayant appris qu'on cherchait une vendeuse, Léa s'est présentée à la boutique. – **3.** Ayant été reconnu par des témoins, l'agresseur a été arrêté. – **4.** Espérant être engagée, la jeune actrice avait bien appris son texte. – **5.** S'étant rendu compte que sa femme le trompait, le mari l'a fait suivre par un détective. – **6.** Ayant peu dormi la nuit précédente, Maria se sentait très fatiguée. – **7.** Trouvant le temps long, le patient ouvrit un magazine en attendant son tour.

3 **Offre de candidature**

Sachant que vous recherchez une secrétaire trilingue, je vous envoie ma candidature. **Parlant** couramment japonais et anglais et **connaissant** très bien l'informatique, je pense correspondre au profil du poste que vous décrivez. **Ayant vécu** plusieurs années au Japon, je connais assez bien, en outre, la culture japonaise. **Espérant** une réponse positive de votre part, je vous adresse mes respectueuses salutations.

4 **1.** en raison des travaux – **2.** pour raison de sécurité – **3.** suite à l'effondrement de la mine – **4.** pour raison de santé – **5.** suite à/du fait de la hausse du pétrole – **6.** en raison de/suite à la fermeture de la mine.

2 *Exemples*

1. Je suis timide, **c'est pourquoi je n'aime pas parler en public.** Je suis très myope, **donc je suis prudent quand je conduis.** Je suis boulanger, **alors je travaille la nuit.** – **2.** Les enfants ont beaucoup marché, **c'est pourquoi ils sont fatigués.** Demain c'est dimanche, **donc il n'y a pas d'école.** Ils sont excités,

c'est pourquoi ils rient comme des fous. – **3.** Jouba voudrait devenir avocate, **c'est pourquoi elle va à la faculté de droit**. Elle est en 4ᵉ année **alors/donc il ne lui reste qu'une année d'études**. Elle a besoin d'argent pour ses études, **aussi elle fait du baby-sitting**.

■ 3 ■ Pauvre Paul
d'où son inquiétude, d'où sa tristesse, d'où sa déception, d'où son angoisse, d'où son amertume.

■ 4 ■ *Exemples*
1. L'entreprise a perdu des clients, par conséquent elle a dû déposer son bilan. – **2.** Les médias ne sont pas fiables. Ce qui fait que les citoyens sont soupçonneux/aussi les citoyens sont-ils/si bien que les citoyens sont soupçonneux. – **3.** L'opposition était divisée par conséquent/si bien que le candidat de la majorité a été réélu. – **4.** Le directeur m'a assurée que je garderai mon emploi aussi ne suis-je pas/si bien que je ne suis pas/par conséquent je ne suis pas inquiète. – **5.** L'énergie nucléaire peut être dangereuse, aussi sommes-nous inquiets pour l'avenir.

EXERCICES – page 227

■ 1 ■ Tsunami au Japon
… <u>tellement</u> inattendu <u>que</u> la population n'a pas eu le temps… Les dévastations sont <u>si</u> énormes <u>qu'</u>il nous faudra du temps… « Il y a <u>tant</u> de choses à faire pour venir au secours des citoyens <u>que</u> le nombre des victimes… Les vagues étaient en effet d'une <u>telle</u> puissance <u>que</u> des villes entières… Il y a <u>tant de</u> disparus… L'inquiétude suscitée par l'explosion éventuelle des réacteurs nucléaires est <u>telle que</u> toute la planète se sent concernée.

■ 2 ■
Je suis **si** heureuse que tu sois de retour ! Tu m'as **tellement** manqué… Nous étions **si/tellement** proches. Nous avions **tellement de** points communs. On a passé de **si** bons moments ensemble. J'ai **tellement** attendu… On a vécu séparés un **si** long moment ! J'ai une **si** grande envie de te revoir… J'ai un **si** grand besoin de toi.

■ 3 ■ Pauvre Marc
Il est si riche qu'il a un jet privé. Il a tellement d'argent qu'il dépense sans compter. Il a tellement d'amis qu'il ne les connaît pas tous, il est tellement/si infantile qu'on ne le respecte pas. Il boit tellement que son foie va très mal.

■ 4 ■
1. Il y avait un tel monde qu'on n'a pas pu rentrer. – **2.** Il y avait une telle foule qu'on ne pouvait pas circuler. – **3.** Il y a eu de tels dégâts qu'ils n'ont pu être évalués. – **4.** Il a fait un tel froid que la sortie a été annulée. – **5.** On a rencontré de telles difficultés que notre projet a été abandonné. – **6.** L'élève a fait de tels progrès qu'il a reçu des félicitations.

■ 5 ■
1. Ma cuisine est **si** petite qu'**on ne peut pas y manger**. – **2.** Nous avons dépensé **tellement d'argent cette année que **nous ne pouvons pas prendre de vacances**. – **3.** Il y avait un monde **tel** devant le cinéma que **nous avons renoncé à y aller**. – **4.** Il a fait **tellement/si** beau cette semaine que **les parcs étaient plein de monde**. – **5.** L'actrice a interprété le rôle avec **tellement/tant de** talent que **les spectateurs l'ont applaudie pendant plusieurs minutes**. – **6.** Cet étudiant parle avec un **si** fort accent que **nous avons dû mal à le comprendre**. – **7.** Les enfants ont mangé **tellement de** gâteaux qu'ils **ont été malades pendant la nuit**. – **8.** Il y avait **tellement** de problèmes avec la nouvelle machine à photocopier que **nous l'avons renvoyée au fournisseur**. – **9.** Le vent soufflait avec une violence **telle** que **des arbres ont été arrachés**.

2 **1.** Le train part trop tôt pour qu'on puisse arriver à temps. – **2.** Les enseignants ont trop d'élèves pour pouvoir être efficaces. – **3.** L'entreprise ne réalise pas assez de bénéfices pour que ses actionnaires la soutiennent. – **4.** Le temps n'est pas assez beau pour que nous puissions aller pique-niquer. – **5.** L'enfant est trop petit pur que sa mère puisse le laisser seul. – **6.** L'enfant est suffisamment grand pour pouvoir prendre le métro seul. – **7.** Paul est trop imprudent pour qu'on puisse lui faire confiance.

3 **Pauvre Bill**
Je ne peux pas sortir sans qu'il fasse une crise de jalousie. Je ne peux pas parler sans qu'il m'interrompe. Je ne peux faire une critique sans qu'il se sente visé. Je ne peux rien dire sans qu'il dise le contraire. Je ne peux pas défendre mes idées, sans qu'il se mette à crier.

4 Elle ne peut pas parler sans que son voisin la suive. Elle ne peut pas courir sans avoir mal au genou. Elle ne peut pas parler à Max sans rougir. Elle ne peut pas boire du vin sans avoir mal à l'estomac. Elle ne peut pas parler à Igor sans qu'il rougisse.

5 Je n'ai pas assez d'argent pour pouvoir partir en vacances. Mon portable n'a pas assez de batterie pour que je puisse appeler longtemps. J'ai trop peu de temps pour voir tous mes amis. Il y a trop de vent pour sortir en bateau.

2 Comment faire pour qu'il soit plus attentif, pour qu'il ait de meilleures notes, pour qu'il apprenne ses leçons, pour qu'il comprenne les explications, pour qu'il soit plus concentré, pour qu'il réagisse plus vite.

3 **1.** Le professeur explique les règles clairement de manière à ce que tout le monde comprenne. – **2.** Quand je voyage, je prépare mes affaires la veille de manière à être vite prêt(e) le lendemain. – **3.** Aérez bien votre appartement de manière à ce que l'atmosphère soit plus saine. – **4.** Nous avons changé le téléviseur de place de manière à ce que tout le monde voie mieux l'écran/puisse mieux voir l'écran. – **5.** J'ai fermé les fenêtres en partant de peur qu'il ne pleuve. – **6.** Paul n'appelle jamais après 20 heures de peur de déranger ses amis…

4 **1.** J'ai coupé le poulet de sorte que chacun **a eu** un beau morceau/chacun **ait** un beau morceau. – **2.** On a préparé le chantier de sorte que les ouvriers **ont fini** avant l'hiver/les ouvriers **aient fini** avant l'hiver. – **3.** J'ai fait mariner la viande de sorte qu'elle **est** plus moelleuse/qu'elle **soit** plus moelleuse. – **4.** J'ai parlé fort de sorte que tout le monde **a entendu**/que tout le monde **entende**.

1 Un chien errant sur l'autoroute <u>provoque</u> un carambolage. Le décès d'une jeune fille de quinze ans <u>serait dû</u> à une intoxication alimentaire dans un fast-food. Un incident de frontière <u>déclenche</u> des représailles. Certains parfums fleuris <u>stimuleraient</u> la confiance en soi. Les informations transmises par un indicateur <u>ont conduit</u> la police à démanteler un trafic de drogue de grande envergure. La musique douce <u>influe</u> positivement sur la production des vaches laitières. Les effets secondaires néfastes du Médiator ont <u>amené</u> les autorités sanitaires <u>à</u> les interdire. La panne du réseau de feux de signalisation a <u>perturbé</u>

la circulation pendant une partie de la journée de samedi. Les négociations entre les différents partis écologistes en vue des élections présidentielles se sont <u>soldées</u> par un échec. Les différents candidats ne sont pas <u>parvenus</u> à s'entendre sur une charte commune. Les débats, passionnés, n'ont pu <u>aboutir</u> à un projet commun.

2 **1.** La pluie **a causé/entraîné/provoqué**… – **2.** Le mauvais temps **a causé/entraîné/provoqué**… – **3.** On dit que le climat **influe/a une influence sur**… – **4.** C'est un incident de frontière qui **a déclenché**… – **5.** L'explosion d'un pétard **a provoqué/déclenché**… – **6.** C'est souvent la guerre ou la misère qui **pousse/amène/conduit**… – **7.** Pour de nombreux spécialistes, la disparition des abeilles **s'explique par/est due à**… – **8.** Les progrès de la médecine **contribuent à/participent à**… – **9.** En grande partie, les accidents de la route **sont dus à**… – **10** La crise économique **pousse/amène/conduit** les entreprises à… – **11.** Avoir de bons résultats aux examens **stimule/renforce**… – **12.** La baisse du chômage **s'explique par/est due à**… – **13.** Des manuels illustrés et agréables **stimulent/renforcent**… – **14.** Une bande de jeunes ivres et agressifs ont **provoqué/déclenché**… – **15.** Un stress très important peut **perturber/altérer/nuire à**… – **16.** Les risques d'inondation **ont poussé/amené/conduit**… – **17.** La consommation journalière de fruits **stimule/renforce**… – **18.** Le sport pratiqué de manière trop intensive peut **causer/entraîner/provoquer/déclencher**… – **19.** Après plusieurs heures de discussion, les syndicats et le patronat **sont parvenus à**… – **20.** La tentative des diplomates **pour aboutir à**… **s'est soldée par**…

EXERCICES – page 235

1 **Mohammad Yunus**
C'est <u>grâce à</u> ses brillantes études… L'indépendance du Bangladesh… <u>motive</u> son retour au pays…. la grande famine de 1974 le <u>pousse</u> à abandonner ses études… <u>À cause</u> du refus des banques… ce qui les <u>rend</u> <u>esclaves</u> à vie… <u>Faute de</u> moyens… C'est ce qui <u>amènera</u> Yunus <u>à</u> créer la Grameen Bank… dont l'<u>impact</u> positif… sera <u>d'autant plus</u> impressionnant… Son but principal : <u>rendre</u> entreprenants et responsables les bénéficiaires de micro-crédits… <u>car</u> elles sont jugées plus sûres… <u>Pour</u> son action… gagner de l'argent <u>en</u> <u>faisant</u> des affaires. Mais l'homme peut réaliser… d'autres choses <u>en faisant</u> des affaires… se donner des <u>objectifs</u> sociaux… construire des entreprises ayant pour <u>objectif</u> de payer décemment leurs salariés… plutôt que <u>chercher à</u> ce que dirigeants…

2 **1.** Qu'est-ce qui **motive** le retour de Yunus au Bangladesh en 1971 ? **C'est l'indépendance du Bangladesh.** – **2.** Quel est l'événement qui le **pousse à** abandonner ses études théoriques ? **C'est la grande famine de 1974.** – **3.** Qu'est-ce qui **amène/conduit** les plus pauvres à faire appel aux usuriers ? **C'est le refus des banques de prêter aux pauvres qui les pousse à faire appel aux usuriers.** – **4.** Qu'est-ce qui **amène** Yunus **à** créer la Grameen Bank ? **La volonté d'aider la population la plus démunie.** – **5.** Est-ce que **l'impact** de la Grameen Bank sur la pauvreté a été positif ? **La Grameen Bank a eu un effet très positif.** – **6.** Quel était **le motif/la raison** de l'attribution du prix Nobel à Yunus ? **Son action en faveur des déshérités.** – **7.** Quel devrait être l'objectif des entreprises, selon Yunus ? **Elles devraient améliorer la situation de leurs salariés plutôt que de chercher à réaliser des bénéfices pour les actionnaires.**

3 **1.** Les sondages positifs **ont renforcé** la confiance du candidat. – **2.** L'installation d'un double vitrage **a réduit/diminué/atténué** énormément le bruit de la rue. – **3.** La baisse des taux d'intérêts **a facilité** les investissements des entreprises. – **4.** La déclaration des impôts en ligne **a simplifié** cette procédure désagréable. – **5.** La plantation de nouveaux arbres **a embelli** notre quartier.

4 **1.** Ça me **donne** faim ! – **2.** … ça me **fait** pleurer. – **3.** … ça me **donne** soif. – **4.** … ça me **fait** mal. – **5.** … ça me **rend** triste, ça me **fait pleurer**. – **6.** … ça me **donne** chaud et ça **me fait** du bien. – **7.** … ça **me fait** tousser et ça me **donne** mal au cœur – **8.** … ça me **donne** des angoisses, ça me **fait peur** et ça me **rend** paranoïaque.

1 1. À quoi est due selon vous la dégradation du pays ? – **2.** Qu'est-ce qui a provoqué les glissements de terrain ? – **3.** Comment s'explique le nombre important de victimes ? – **4.** Pour quelle raison l'élève a-t-il été exclu ? – **5.** À quoi est attribuée la longévité de certaines personnes ? – **6.** Qu'est-ce qui fait que la police a brusquement réorienté ses recherches ? – **7.** Comment les randonneurs ont-ils pu survivre 8 jours dans le désert ? – **8.** Quelle est la cause de l'incendie de l'immeuble ? – **9.** À quoi est dû le réchauffement climatique ? – **10.** D'où provient la baisse de la fréquentation des salles de spectacle ?

2 Boutonnage
• Quelle est **la différence de boutonnage des chemises des hommes et des femmes ?**
– *Les boutons des chemises d'homme sont à gauche. Ceux des femmes sont à droite.*
• **Pourquoi** les hommes plaçaient-ils leur main **sous le pan gauche de leur manteau ?**
– *Pour la réchauffer et éviter qu'elle soit engourdie en cas d'attaque.*
• **Quel est** l'emplacement des boutons de chemise de femme ? Et pourquoi ?
– *Les boutons des chemises de femme sont à droite pour pouvoir allaiter l'enfant et le recouvrir du pan de manteau en même temps.*
• **Pourquoi** l'information donnée en fin de texte est-elle contradictoire avec le début ?
– *Parce que l'explication remonte à l'époque où les hommes portaient encore une épée alors qu'à la fin du XIXᵉ siècle cette pratique n'existait plus.*

3 *Exemples*
1. Parce que je crains la lumière du soleil. – **2.** Parce qu'une voiture m'a éclaboussé(e) dans la rue. – **3.** Parce que je me suis coupé en me rasant./Parce que mon chat m'a griffé(e). – **4.** Parce qu'elle laisse ses poubelles devant ma porte ! – **5.** C'est la règle d'accord des participes passés qui rend me songeur/songeuse. – **6.** Qu'est-ce qui vous fait rire comme ça ? C'est l'interview de Jamel qui me fait rire.

1 L'adolescence
… <u>mais</u> ce n'est pas un adulte… son lieu de vie, <u>en revanche</u>, n'a pas changé… <u>alors que</u> la scolarité est plus exigeante que jamais… sachant <u>toutefois</u> qu'il n'a choisi ni son nez, ni sa culture… <u>mais</u> répond à tous les stimuli…. <u>pourtant</u> il est trop tôt…. <u>Malgré</u> tous nos efforts… <u>En dépit de</u> tout… <u>quand même</u> besoin d'être encadré.

2 Ma mère est blonde tandis que mon père est brun. Ma mère est grande tandis que mon père est petit. Ma mère est sévère tandis que mon père est tolérant. Ma mère est carnivore tandis que mon père est végétarien. Ma mère aime la ville tandis que mon père aime la campagne. Ma mère est hyperactive tandis que mon père est contemplatif.
Autant ma mère est blonde, autant mon père est brun. Autant ma mère est grande, autant mon père est petit. Autant ma mère est sévère, autant mon père est tolérant. Autant ma mère est carnivore, autant mon père est végétarien. Autant ma mère aime la ville, autant mon père mon père aime la campagne. Autant ma mère est hyperactive, autant mon père est contemplatif.

3 Mon studio
Mon studio est petit, cependant il est très lumineux. Il est vieux, toutefois il est plein de charme. Il est un peu bruyant, cependant il est très central. Il est au 6ᵉ sans ascenseur, mais il n'est pas cher.

4 *Exemples*
1. pourtant j'ai mis deux pull-overs. – **2.** pourtant/alors qu'il a mangé deux paquets de croquettes. – **3.** pourtant/alors qu'il n'est que 5 heures. – **4.** pourtant/alors que j'ai dormi 10 heures. – **5.** pourtant/alors qu'elle a cinq ans de plus. – **6.** pourtant/alors qu'il a plus de trente ans. – **7.** malgré son jeune âge.

5 **1.** Les élèves fument dans la cour, pourtant c'est interdit. Les élèves fument dans la cour, malgré l'interdiction. Il est interdit de fumer dans la cour, mais les élèves fument quand même. – **2.** Il pleut et il fait froid, pourtant les enfants veulent sortir. Ils veulent sortir malgré le froid. Il fait froid, mais ils veulent sortir quand même. – **3.** Anna porte un gros pull, alors qu'il fait très chaud. Elle porte un gros pull, malgré la chaleur. Il fait chaud, mais elle porte un gros pull quand même. – **4.** Beaucoup de cyclistes roulent sans casque, pourtant c'est dangereux. Ils roulent sans casque, malgré le danger. C'est dangereux, mais ils roulent sans casque quand même. – **5.** On remarque tout de suite Julia, alors qu'elle est simple et discrète. On remarque Julia malgré sa simplicité et sa discrétion. Elle est simple et discrète, mais on la remarque quand même.

EXERCICES – page 241

1 **Le travail des femmes**
… bien que la Constitution reconnaisse à la femme… Quoique leur compétence soit reconnue… sans que cet écart des salaires se réduise… quel que soit le pays d'Europe…

2 **1.** Alex sort sans manteau bien qu'il pleuve. – **2.** Ugo fume bien qu'il ait le cœur malade. – **3.** Paul est ambitieux bien qu'il prétende le contraire. – **4.** Jo et Jill sont différents, bien qu'ils soient jumeaux. – **5.** L'étudiant n'ose pas répondre bien qu'il connaisse la réponse. – **6.** Marco est devenu acteur de théâtre bien qu'il soit très timide.

3 **1.** Bien que sachant conduire, ma mère refuse de conduire en ville. – **2.** Bien que/quoique n'ayant jamais appris la musique, Rudolf joue merveilleusement bien du piano. – **3.** Bien que/quoique ayant deux ans de moins que son frère, Léa est dans la classe supérieure. – **4.** Bien que/quoique connaissant bien la grammaire, les étudiants ont du mal à s'exprimer.

4 **1.** Ma fille est sortie sans que je la voie. – **2.** L'enfant a rangé sa chambre sans qu'on le lui ait demandé. – **3.** L'élève a triché sans que le professeur s'en aperçoive. – **4.** Les jeunes ont provoqué le policier sans qu'il réagisse. – **5.** Ma cousine s'est mariée sans que personne ne le sache.

5 Quoi qu'on fasse, où qu'on aille, quoi qu'on dise, où qu'on soit, tu n'es jamais content.

6 **1.** Jean est compétent **quoiqu'**il soit très jeune. – **2.** Marie écoute Jo bouche bée **quoi qu'**il dise. – **3.** Léo est toujours disponible **quoi qu'**on lui demande. – **4.** Gilles est très professionnel **quoiqu'**il ait l'air bohème. – **5. Quoi qu'**il arrive, je vous tiendrai au courant. – **6.** Jean est amusant **quoique** très cynique. – **7.** Julie est sympathique **quoique** très bavarde.

EXERCICES – page 243

2 **1.** On ne trouve plus de vêtements chauds dans les magasins, or (**et pourtant**) l'hiver n'est pas fini. – **2.** On connaît les raisons de la dégradation du climat. Or (**et pourtant**) on continue à s'interroger sur le phénomène. – **3.** Avant les élections, les candidats font des promesses Or (**remarquez qu'**) ils les oublient très vite après. – **4.** Le témoin a affirmé ne pas connaître l'accusé. Or, (**il se trouve que**) c'était… son beau-frère. – **5.** Le candidat a perdu les élections, or (**et pourtant**) c'était le grand favori. – **6.** Je voulais faire une omelette. Or (**il se trouve que**) je n'avais plus d'œufs. Alors j'ai fait des pâtes. – **7.** Je voulais revoir Jules depuis longtemps, or (**il se trouve qu'**) hier matin, il m'a appelé ! – **8.** Nous voulions prendre le métro, or (**il se trouve que**) il y avait la grève. Alors on a pris un taxi.

3 J'ai beau travailler, je n'avance pas. J'ai beau dormir, j'ai toujours sommeil. J'ai beau faire un régime, je ne maigris pas. J'ai beau faire le ménage, c'est toujours sale. J'ai beau me dépêcher, je suis toujours en retard.

4 Je poursuivrai mon projet quitte à perdre de l'argent, quitte à renoncer à mes vacances, quitte à travailler encore plus, quitte à être critiquée, quitte à passer pour folle.

5 **1.** La culpabilité de l'accusé semble certaine. Il n'en demeure pas moins qu'il a le droit d'être défendu. – **2.** Nos résultats de cette année sont assez mauvais. Il n'en demeure pas moins que/toujours est-il que/il n'empêche qu'ils sont meilleurs que ceux de l'année dernière. – **3.** Le gouvernement a fait des concessions. Il n'en demeure pas moins que/toujours est-il que l'âge de la retraite sera reculé. – **4.** L'inflation a été contenue. Il n'en demeure pas moins que/toujours est-il que le niveau de vie a baissé.

E X E R C I C E S – page 245

2 **1.** Pavel est fort au tennis, **en effet**, il a gagné plusieurs tournois. Peter se prétend fort en tennis, **en fait** il est très moyen. – **2.** La météo a annoncé qu'il ferait beau et **en effet**, le soleil brille. – **3.** Je voudrais aller au cinéma. **Au fait**, tu as écouté « Le Masque et la Plume » dimanche ? – **4.** On dit que le café est mauvais pour le cœur et **en effet,** il augmente la pression artérielle. – **5.** Charles semble un peu stupide, **en fait**, malgré les apparences, il est très intelligent.

3 **1.** Paul est très grand, **d'ailleurs** c'est le plus grand de sa classe. – **2.** Pavel est très beau : **d'ailleurs** il est acteur de cinéma. – **3.** J'ai trois garçons et deux filles, **par ailleurs** j'ai trois chats et deux perroquets. – **4.** Mes deux fils ont le même nez et les mêmes cheveux, **par ailleurs** ils sont très différents de caractère. – **5.** Marie a le même caractère que Brigitte. **D'ailleurs,** elle est Bélier, comme elle.

4 **1.** Paul est le directeur de l'entreprise, il gagne **au moins** dix mille euros par mois. – **2.** Les voisins ont **au moins** cinq chats, il en sort de partout ! – **3.** Je travaillerai toutes les vacances, **du moins** du 15 au 30 août. – **4.** Ce bâtiment est très vieux : il a **au moins** quatre cents ans. – **5.** Tous les locataires de l'immeuble sont sympas, **du moins** ceux que je connais… – **6.** J'ai perdu mes lunettes, **du moins** je ne sais plus où je les ai mises… – **7.** Walter a **au moins** cinq enfants. C'est **du moins** ce qu'on m'a dit.

5 **1.** Paul a accepté, **sinon avec enthousiasme, du moins poliment.** – **2.** Le candidat s'est habillé **sinon avec élégance, du moins avec soin**. – **3.** Les ouvriers ont tout refait **sinon proprement, du moins rapidement**. – **4.** Les enfants ont obéi **sinon de bonne grâce, du moins sans protester**

E X E R C I C E S – page 247

1 **Le magazine des consommateurs**
On pense qu'un appareil photo est <u>moins</u> performant <u>qu</u>'un autre, parce qu'il est d'une marque <u>moins</u> connue. On suppose qu'une poudre à laver est <u>meilleure qu</u>'une autre parce qu'elle est <u>plus</u> chère…. un aspirateur coûtera cent euros <u>de plus</u> qu'un autre sans que l'on comprenne pourquoi. Les descriptifs techniques sont <u>moins</u> fiables qu'on <u>ne le</u> pense, les modèles obsolètes <u>plus</u> fréquents qu'on <u>ne</u> croit…. ce que le marché offre <u>de moins</u> cher… testé dans les <u>moindres</u> détails. Pour <u>mieux</u> vous servir… notre revue est <u>la plus fiable</u> sur le marché… 0,35 centime <u>de moins</u> que le prix en kiosque.

2 **1.** Si certaines marques ne faisaient pas **autant** de publicité, elles ne seraient pas **aussi** populaires. – **2** Si l'hiver n'avait pas été **aussi** froid, la consommation d'énergie n'aurait pas été **aussi** élevée. – **3.** Si la situation économique n'était pas **aussi** grave, il n'y aurait pas **autant de** conflits sociaux. – **4.** S'il n'y avait pas **autant** d'enfants en échec scolaire, les enseignants ne seraient pas **aussi** préoccupés.

3 **1.** Est-ce que Charles est aussi riche qu'on le dit ou est-ce qu'il est **moins riche qu'on ne le dit ?** – **Oh, il est encore plus riche qu'on ne (le) dit.** C'est l'homme **le plus riche que** je connaisse. – **2.** Est-ce que ce film est aussi stupide qu'on le dit ou est-ce qu'il est **moins stupide qu'on ne (le) dit ?** – **Oh, il est encore plus stupide qu'on ne (le) dit.** C'est le film **le plus stupide que** j'aie jamais vu. – **3.** – Est-ce que le bordeaux de cette année est aussi bon qu'on le dit ou est-ce qu'il est **moins bon qu'on ne le dit ?** – **Oh, il est encore meilleur qu'on ne le dit.** C'est le bordeaux **le meilleur que** j'aie jamais bu. – **4.** Est-ce que Riri joue aussi bien au football qu'on le dit ou est-ce qu'il joue **moins bien qu'on ne le dit ? – Oh, il joue encore mieux qu'on ne le dit.** C'est le joueur qui **joue le mieux** de notre équipe.

4   **1.** … 10 cm **de plus** que moi. – **2.** … 20 % **de moins** qu'avant. – **3.** … un jour **de moins** que mars. – **4.** … **autant d'**hommes que **de** femmes… – **5.** … ce qu'il y a **de plus** précieux… – **6.** … elle a trois ans **de plus**.

5   **1.** Mon ordinateur est **le plus petit** du marché. – **2.** La gourmandise est **le moindre** (des) défaut(s). – **3.** On se marie pour **le meilleur** et pour **le pire**. – **4.** Le colibri est l'oiseau **le plus petit** du monde.

6   *Exemples*

Nous sommes partis en vacances au mois d'août. Il faisait une chaleur épouvantable et l'hôtel où nous sommes descendus est le pire où nous ayons jamais dormi : la climatisation fuyait et faisait un bruit épouvantable. Les chambres étaient les plus petites qu'on puisse imaginer et elles sentaient le moisi, ce qui m'a provoqué une crise d'asthme. Les serviettes étaient les plus rêches que j'aie jamais utilisées. Il n'y avait ni savon, ni shampoing dans la salle de bains. Les voisins étaient les moins discrets qui soient. Ils parlaient fort, se disputaient ou écoutaient de la musique à plein volume. La nourriture était immangeable et le service totalement inefficace. Quant à l'addition, c'était une véritable arnaque.

EXERCICES – page 249

1   **Chirurgie esthétique**

J'aurais voulu avoir un joli petit nez fin <u>comme</u> ma mère. J'avais <u>les mêmes</u> yeux, <u>la même</u> bouche… Un nez qui <u>ressemblait</u> à un bec d'aigle ! … toutes les filles <u>ressemblent</u>… <u>Comme s</u>'il n'y avait qu'un modèle… <u>Aussi bien</u> chez les femmes mûres <u>que</u> chez les très jeunes filles… Oui, nous au moins on est <u>différentes</u>… on doit s'accepter <u>telles qu'</u>on est…

2   **1.** Oui, c'est le meilleur aussi bien sur le plan technique qu'esthétique/autant sur le plan technique qu'esthétique. – **2.** - Oui, c'est le meilleur aussi bien du point de vue de la cuisine que du service/autant sur le plan de la cuisine que du service. – **3.** Oui, c'est le mieux fait aussi bien du point de vue du design que du contenu/autant du point de vue du design que du contenu. – **4.** Oui, c'est la mieux conçue aussi bien sur le plan esthétique que pratique/autant sur le plan esthétique que pratique. – **5.** Oui, c'est le pire aussi bien au niveau du confort que de l'accueil/autant au niveau du confort que de l'accueil.

3   **1.** Les jeunes écoutent-ils **les mêmes musiques que** leurs parents… ? – **2.** Les étudiants espagnols font-ils **les mêmes erreurs que** les étudiants anglais… ? – **3.** Le vin blanc a-t-il **le même goût que** le vin rouge… ? – **4.** Le jasmin a-t-il **la même odeur que** le muguet… ?

4   **1.** Florinda est née au Portugal, mais elle parle français **comme si elle était née** en France. – **2.** Cathy n'est pas partie en vacances, pourtant elle est bronzée **comme si elle était allée** au bord de la mer. – **3.** Kevin n'est plus un bébé, pourtant sa mère lui parle **comme s'il avait** deux ans ! – **4.** Je n'ai pas bougé de toute la journée, mais je suis fatigué(e) **comme si j'avais fait** trois heures de sport.

5   **1.** Il y a de moins en moins d'endroits non touristiques. – **2.** Il y a de plus en plus de phénomènes d'allergie. – **3.** Il y a de plus en plus de violence à l'école. – **4.** Il y a de moins en moins de couples qui durent.

6   Plus je mange, plus j'ai faim. Moins je parle, moins j'ai envie de parler. Moins je bouge, plus je grossis. Plus je dors, plus je suis fatigué (e). Plus je vieillis, moins j'ai des certitudes.

1   **1.** Je suis désolé(e) **de** téléphoner si tard. – **2.** Nous espérons ø vous revoir un jour. – **3.** J'adore ø marcher sous la pluie. – **4.** Nous sommes contents **d'**être en vacances. – **5.** Je cours ø poster cette lettre et je reviens. – **6.** Il fait frais, on sent ø arriver l'hiver. – **7.** Charles a tendance **à** grossir. – **8.** J'espère ø arriver à l'heure au théâtre. – **9.** Nous sommes tristes **de** partir. – **10.** Mon père a du mal **à** marcher. – **11.** Je pars ø faire une balade. Tu viens ? – **12.** Nous voudrions ø revenir à Noël. – **13.** J'ai besoin **de** prendre un café. – **14.** Il est terrible **de** vivre dans la rue. – **15.** Le train est prêt **à** partir. – **16.** J'ai horreur **d'**être en retard. – **17.** Êtes-vous habitué(e) **à** travailler en équipe ? – **18.** J'ai l'intention **d'**apprendre le tango… – **19.** Les enfants ont envie **de** faire du camping. – **20.** Marie a tendance **à** voir tout en noir.

2   Il semble avoir quinze ans. Il paraît plus jeune que son âge. Il a l'air d'être fatigué. Il déclare être innocent. Il prétend avoir raison. Il affirme connaître la vérité. Il est censé travailler jusqu'à 18 heures. Il est fier d'être papa.

3   **1.** Les ouvriers ont peur **de** perdre leur emploi et ils sont prêts **à** faire des concessions. – **2.** Ma femme a envie **de** sortir le samedi, mais moi, je préfère ø rester à la maison. – **3.** Je suis étonnée **de** voir combien votre fils a grandi. J'ai eu du mal **à** le reconnaître. – **4.** Ma fille veut partir ø vivre à Londres. Elle a l'intention **de** devenir interprète. – **5.** J'aime ø faire la cuisine mais j'ai horreur **de** faire le ménage. – **6.** Vous avez raison **d'**être strict avec cette entreprise. Ils ont tendance **à** profiter des gens. – **7.** Si vous avez l'occasion **de** venir dans le quartier je serais heureuse **de** vous inviter chez moi. – **8.** Le journaliste a déclaré ø avoir reçu des menaces mais il est résolu **à** poursuivre son enquête. – **9.** Vous n'avez pas le droit **d'**être dans cette salle. Vous êtes censés ø être en cours. – **10.** Le temps semble ø s'améliorer. Nous espérons ø partir en week-end. – **11.** Nous avons intérêt **à** prendre un taxi : nous sommes supposés ø arriver avant huit heures.

4   **Aéroport**
… je suis impatiente de le revoir…. je suis obligée de prendre le bus…. je suis fatiguée d'attendre… Je ne suis pas habituée à me lever aussi tôt….   J'ai peur d'être en retard. Nous sommes prêts à partir. Nous sommes sur le point d'arriver. Je suis contente d'être à l'heure/d'être là. Il est difficile d'avancer…. j'ai le temps de prendre un petit déjeuner.

1   **1.** Essayez **de** faire cet exercice… – **2.** J'hésite **à** téléphoner… – **3.** Dépêchons-nous **de** rentrer… – **4.** Préparez-vous **à** embarquer. – **5.** La machine s'est arrêtée **de** marcher… – **6.** Il a recommencé **à** pleuvoir.

2   **1.** Tâchez **d'**être à l'heure… Pensez **à** prendre… – **2.** Continuez **à** travailler… Vous méritez **de** réussir. – **3.** Je ne suis pas arrivé(e) **à** terminer… – **4.** Évitez **de** partir… si vous craignez **d'**être bloqués… – **5.** Le tri sélectif permet **de** recycler… et contribue **à** préserver… – **6.** Le film plastique sert **à** protéger… qui risquent **de** s'oxyder. – **7.** Une bonne alimentation permet **de** vivre… – **8.** Le piratage informatique consiste **à** télécharger… – **9.** Une dose de ce médicament suffit **à** éradiquer… – **10.** J'hésite **à** parler de ces problèmes…

3   **1.** Avez-vous réussi **à** joindre Max ? J'essaie **de** le joindre… – **2.** Les enfants se sont mis **à** travailler tout en continuant **à** écouter la musique. – **3.** Paul cherche **à** développer… Il essaie **de** trouver… – **4.** J'ai décidé **de** changer… Je n'arrive plus **à** travailler… – **5.** Les voyageurs sont priés **de** se présenter et ils sont invités **à** présenter… – **6.** Ne faites pas semblant **de** dormir. Dépêchez-vous **de** vous lever. – **7.** Je pousse les jeunes **à** voyager… Ils doivent apprendre **à** vivre seuls. – **8.** Des moniteurs aident les enfants **à** faire leurs devoirs et ils les encouragent **à** travailler. – **9.** Si tu continues **à** maltraiter… tu finiras **par** le casser… – **10.** Vous devez continuer **à** faire… et vous devez essayer **de** lire… – **11.** On autorise les enfants **à** sortir… mais on les empêche **de** jouer… – **12.** Au début, le client a refusé **de** signer… mais il a fini **par** accepter… – **13.** Je pense partir… je dois penser **à** mettre… – **14.** Tu passes ton temps **à** téléphoner… Tu ferais mieux **de** travailler. – **15.** Pense **à** arroser… Souviens-toi **de** payer…

4   1. Vous commencez **à** travailler à quelle heure ? – **Je commence à travailler à 8 heures.** –
2. Invitez-vous parfois des collègues **à** déjeuner ? – **Oui, de temps en temps j'invite Élisa ou Gracia à déjeuner.** – 3. Vous finissez **de** déjeuner à quelle heure ? – **Je finis de déjeuner vers 14 heures.** – 4. Avez-vous déjà songé **à** changer de travail ? – **Non, je n'ai jamais songé à changer de métier.** – 5. Arrivez-vous **de** travailler dans le bruit ? – **Non, je ne supporte pas de travailler dans le bruit.** – 6. Accepteriez-vous **de** travailler le dimanche ? – **Non, je n'accepterais pas de travailler le dimanche.** – 7. Avez-vous l'habitude **de** déjeuner à la cantine ? – **Oui, j'ai l'habitude de déjeuner à la cantine.** – 8. Est-ce que vous continuez **à** voir vos anciens collègues ? – **Oui, je continue à voir quelques anciens collègues.**

EXERCICES – page 257

1   1. Je cherche **à** perdre… – 2. J'essaie **de** faire… – 3. Nous avons décidé **de** changer… – 4. Nous sommes décidés **à** faire… – 5. Je suis obligé(e) **de** partir… – 6. On m'a forcé(e) **à** donner… – 7. Jo et Léa se sont décidés **à** se marier. – 8. Je n'ai pas l'habitude **de** sortir… – 9. Le maire a refusé **de** recevoir… – 10. Le ministre s'est refusé **à** faire… – 11. Avez-vous déjà songé **à** vivre… – 12. Ma nièce rêve **de** devenir… – 13. Je suis habitué(e) **à** me lever… – 14. Force-toi **à** faire… – 15. Efforcez-vous **d'**arriver… – 16. Les employés sont obligés **d'**avoir un badge.

2   **Questions sur Internet**
• J'ai décidé **de** cesser mon activité et j'envisage **de** licencier mes salariés. Suis-je obligé **de** mettre en place…
• Mon employeur me contraint **à** partager un bureau avec un fumeur et il refuse **de** me donner un autre bureau. Je suis décidée **à** me battre…
•… Les bâtiments de France veulent m'obliger **à** remplacer le toit en tuiles par un toit en ardoises. Que se passera-t-il si je me refuse **à** faire ce changement ?
• Est-ce que boire du jus d'orange le soir, ça empêche **de** dormir ? Dois-je forcer mon enfant **à** manger des légumes ?

3   1. Les crêpes, c'est facile **à** faire, mais c'est parfois lourd **à** digérer. – 2. Il est dangereux **de** conduire… – 3. Pour voter, il suffit **d'**être inscrit… – 4. … ça suffit parfois **à/pour** sauver une vie. – 5. Est-ce qu'il vous arrive **de** travailler… – 6. … Maintenant, Il s'agit **de** trouver… – 7. … il est très agréable **de** marcher… – 8. … ça sert **à** financer… ça permet **de** construire… – 9. Il est obligatoire **de** payer… et il vaut mieux **ø** payer dans les délais. – 10. Il est interdit **de** fumer… mais c'est difficile **à** contrôler.

4   Ces poires ne sont pas bonnes **à manger**. Mon appartement est difficile **à chauffer/à meubler**. Voilà une recette facile **à faire/à réaliser**. Je cherche des rideaux prêts **à poser**. Ce pull est très agréable **à porter**.

5   Voilà des lettres à signer, des papiers à jeter, des formulaires à remplir, des dossiers à archiver.

6   *Exemples*
La raison la plus souvent évoquée est la possibilité d'échanger des expériences, librement. De poser toutes les questions qu'on n'ose pas poser. De communiquer avec des personnes qui sont à l'autre bout de la terre. De se connaître à travers les autres. De partager des idées.

EXERCICES – page 259

1   1. Où est-ce que tu ranges les tasses **à** café ? – Mets-les **sur** l'étagère, **dans** l'armoire. – 2. Raymonde se couche tôt : **à** six heures **du** soir elle est déjà **en** pyjama ! – 3. Je cherche des chaussures **de** sport **en** cuir. Je n'aime pas les chaussures **en/de** toile. – 4. Quand on rentre **dans** ce café, on est toujours accueilli **par** un sourire. – 5. Attention, un gros bourdon est entré **par** la fenêtre et il s'est posé **sur** la table ! – 6. Chaque année, plus de quatre-vingts **pour** cent **des** élèves réussissent l'examen **de** français. – **7.** Vous pouvez régler la facture **en** espèces, **par** chèque ou **par** carte de crédit. – **8.** Les remarques des tout-petits me font souvent mourir **de** rire. – **9.** Nous avons plus **de** cent variétés de cafés. Tous d'une qualité supérieure **à la** moyenne. – **10.** Cinq candidats **sur** huit sont des femmes cette année. – **11.** Je suis allé(e) courir et j'ai fait dix fois le tour **du** parc **en** une demi-heure. – **12.** Venez **en** taxi si c'est nécessaire, mais arrangez-vous **pour** être ici avant onze heures.

2 Vous avez eu raison **de** nous dire **de** faire attention **au** calendrier **des** vacances scolaires et **de** nous méfier **des** grands axes routiers avant **de** partir.

Cela nous a évité **de** nous trouver dans la cohue **des** vacanciers et ça nous a permis **d'**arriver calmement chez nous, **dans** les Landes, sans être par ailleurs obligés **de** partir **à** l'aube. En outre les enfants se sont intéressés **au** paysage pour la première fois et ils se sont amusés **à** compter les vaches et les moutons le long **de** la route.

Je suis très contente **du** petit jardin que j'avais commencé **à** aménager la dernière fois. Avec l'été, il est très agréable **de** se reposer sous les tonnelles. Nous allons continuer **à** planter des arbustes **pour** isoler la propriété **de** la route. J'ai réussi **à** désherber le champ presque entièrement et je vais essayer **de** fabriquer un système d'irrigation capable **de** fonctionner même en notre absence. C'est facile **à** dire mais plus difficile **à** faire. Il est très difficile en effet **de** trouver le matériel nécessaire ici.

J'ai fini **de** faire les plans d'aménagement intérieur **de** la ferme et il me reste seulement **à** contacter les artisans du coin et **à** étudier les devis. Tous ces projets m'obligent **à** passer la plupart de mon temps dehors. (Je suis obligée aussi **de** faire pas mal d'économies sur les distractions.) Mais tout cela est bien agréable **à** mettre en place.

Si vous avez l'intention **de** passer dans notre région, nous serions très heureux **de** vous recevoir chez nous. Essayez **de** nous appeler un peu avant, ça nous permettrait **de** préparer un petit programme touristique. Rappelez-vous que lors de votre dernier départ les embouteillages vous ont obligés **à** dormir sur l'autoroute, alors, il est préférable **de** prévoir un arrêt à l'avance et **de** dormir chez nous.

Je pense **à** vous très souvent et j'ai hâte **de** vous retrouver.

EXERCICES – page 261

1 **Sauvons les garçons**

<u>D'abord</u> parce que certains parents croient qu'un garçon pourra toujours s'en tirer.... <u>Ensuite</u>, au cours de leur scolarité, les garçons ne rencontreront pratiquement que des femmes… <u>Enfin</u>, les mères s'occupent encore principalement des enfants…

… <u>d'une part,</u> en interrogeant aussi souvent les filles que les garçons, <u>d'autre part</u> en décryptant les représentations sexistes… <u>De plus</u>, ils devraient encourager les filles à intégrer les filières scientifiques…

… <u>Ceux qui</u> réussissent le mieux sont les enfants les moins conformistes… Un garçon doit <u>par ailleurs</u> voir son père travailler à la maison… la mère est encore plus le pôle de la famille… <u>Or</u> être parent, c'est aussi être un modèle.

Oui, <u>car</u> la maternité affecte la situation des femmes… Une femme recherche <u>également</u> davantage la sécurité de l'emploi… <u>C'est pourquoi</u> la fonction publique s'est beaucoup féminisée.

2 *Exemples*

Jean-Louis Auduc, auteur du livre *Sauvons les garçons*, explique que les garçons ont plus de difficultés scolaires que les filles : d'une part, les professionnels auxquels ils ont affaire sont souvent des femmes (enseignantes, psychologues, médecins), d'autre part, les pères s'investissent moins dans les apprentissages scolaires. Ainsi les garçons manquent-ils de modèles masculins auxquels s'identifier et ils s'investissent moins dans leurs études. L'auteur fait remarquer, par ailleurs, que les stéréotypes sexués sont un facteur d'échec et que l'école devrait rééquilibrer les rôles pour permettre aux garçons de développer leurs qualités « féminines » d'écoute et de sensibilité, qui sont des facteurs de réussite. Cependant, malgré des résultats inférieurs, les garçons accèdent davantage aux grandes écoles que les filles. Ces dernières abandonnent en effet les études plus tôt pour se diriger vers un métier, de préférence dans la fonction publique, car l'inégalité de leur condition sociale les pousse à privilégier la sécurité de l'emploi.

1 **Pour une nouvelle pédagogie**

… un nouvel humain est né. <u>Ce dernier</u> n'a plus la même espérance de vie…. En 1900, la majorité des humains, sur la planète étaient des paysans… <u>ceux-ci</u> ne comptent plus qu'un pour cent… <u>Ces</u> collectifs ont à peu près tous explosé. <u>Ceux qui</u> restent s'effilochent…<u>Cela dit</u> de nouveaux liens… n'excitent pas les mêmes zones corticales. Ces <u>dernières</u>…

2 *UNE STAR EST NÉE*

<u>Tout d'abord,</u> je voudrais vous remercier… <u>En premier lieu,</u> je détaillerai… <u>Ensuite,</u> je vous présenterai… <u>Enfin,</u> je répondrai… 1) La « Star » consomme peu <u>à savoir</u> moins de 5 litres aux 100… 2) La « Star » est très sûre. Elle a <u>notamment</u> obtenu… 3) La « Star » reste accessible… <u>en fait</u> son prix la situe… 4) La « Star » est belle. <u>D'ailleurs,</u> c'est l'Italien Romeri et le styliste Piu Li… <u>Ces derniers</u> travaillent… 5) <u>Enfin,</u> la « Star » est une voiture pratique… <u>Quant à</u> son habitacle… <u>En bref,</u> la « Star » … <u>D'un côté</u>… <u>de l'autre</u>… <u>Ce qui</u> en fait, <u>selon moi,</u> le modèle…

3 *Exemples*

Le nouveau portable Ixelle est révolutionnaire. En premier lieu, il est fin comme une carte de crédit, ensuite il est puissant comme un ordinateur industriel (en effet son processeur est utilisé par la NASA), par ailleurs, sa mémoire est extensible à l'infini et il peut contenir des bibliothèques entières. Enfin, il associe une technologie de pointe à une esthétique superbe. D'ailleurs, il a été élu « plus bel objet de l'année ».

1 **Lettre de rectification**

Je vous adresse ce courrier **car** je voudrais… **Or** à cette époque-là, je n'étais que… Je ne peux **donc/par conséquent** être tenu pour… Vous dites **par ailleurs** que… **En fait** elle n'en employait qu'une… Pourcentage **d'ailleurs** largement plus bas que… **notamment** en Europe. **Enfin,** l'incident que vous mentionnez… **mais** à la fin du printemps. C'est **en effet** la période… Je vous serais **donc/par conséquent** reconnaissant…

2 **Lettre de réclamation**

J'ai commandé… **Or,** j'ai reçu… **par ailleurs** le bocal… **En outre,** le livreur… **alors que** ceux-ci devaient être… Cet article ne correspond **par conséquent/donc** pas du tout… **Malgré** les différents courriels… **C'est pourquoi** j'ai téléphoné… qui parlait **toutefois** un français avec un si fort accent… **Étant donné/données** les difficultés de communication… **Donc,** comme l'autorisent… **ainsi que** le remboursement…

3 *Exemples*

Monsieur,

J'ai commandé il y a six semaines un canapé et deux fauteuils en cuir marron qui devaient m'être livrés dans la semaine, or, un mois plus tard, je m'assois toujours sur des caisses d'oranges pour regarder la télé et je n'ai reçu ni les meubles ni aucune notification de votre part. Par ailleurs, le numéro de téléphone qui apparaît sur votre facture « n'est plus attribué ». Je me vois donc obligé(e) de vous adresser cette lettre par courrier recommandé et vous avertis que j'ai remis tous les documents en ma possession à mon avocat.

Dans l'espoir d'avoir de vos nouvelles, recevez, Monsieur, mes salutations distinguées.

1 *Exemples*

D'une part, nous dirons que la publicité est dangereuse. **Ainsi** elle incite à l'achat de produits de consommation dont on n'a aucun besoin. **D'autre part**, la publicité est encombrante, elle recouvre **par exemple** les murs des villes, on ne peut pas regarder la télévision, prendre le métro, lire un journal sans la subir. **Par ailleurs**, elle exagère quand elle ne triche pas. Elle accole savamment vérité et mensonges, illusion et réalité. On ne sait pas ce qu'il faut croire. **De plus**, la publicité est impudique. Elle n'hésite pas à nous « accrocher » par tous les moyens. **On a beau** le savoir, on reste vulnérable. **C'est pourquoi** il est nécessaire de donner aux jeunes des outils critiques d'analyse afin qu'ils soient mieux armés contre le pouvoir de la propagande. **En effet**, les tout-petits sont devenus également des cibles de choix pour les marchands. **De sorte qu'il** faut créer une législation pour les protéger.

2 **Colocation**

Les jeunes ont du mal à se loger, **en effet/parce que/car** il est difficile de trouver des studios bon marché dans les grandes villes. **Or/en revanche** il existe de grands appartements qu'il est facile de partager. La colocation est, **ainsi/donc/par conséquent**, souvent la meilleure solution pour trouver un espace de vie acceptable. Le prix d'un appartement et les charges sont partagés par deux ou trois locataires. **Ainsi/donc/par conséquent**, chacun paie moins que pour un petit studio.

Mais/Cependant/Toutefois/En revanche, il faut savoir respecter les règles de la vie en communauté : une grande cuisine, c'est super, **mais/cependant/toutefois/en revanche** on participe à l'entretien. Une belle salle de bains, c'est bien, **mais/cependant/toutefois/en revanche** on ne traîne pas aux « heures de pointe ». Écouter de la musique à fond, c'est chouette, **mais/cependant/toutefois/en revanche** on ne le fait pas quand d'autres dorment. Un frigo plein, c'est magnifique **mais/cependant/toutefois/en revanche,** on doit remplacer ce que l'on consomme.

La colocation est une solution sympathique au départ, **mais/pourtant/cependant/en revanche** elle peut s'avérer vite éprouvante. **C'est pourquoi/Ainsi/Donc/Par conséquent,** il est important de bien choisir ses colocataires et de poser, d'emblée, un certain nombre de règles.

1 **Le repas familial**

D'un côté, il y a… et notamment des pratiques… Cela est lié à l'évolution… Ainsi, le petit déjeuner… D'un autre côté, il y a… En fait, moins il y a… Celle-ci a donc une place… mais il faut s'en méfier. En fait, tout dépend… Mais il faut rester vigilant… alors le lien social.… En fait, on ne peut pas juger… mais je n'y suis pas hostile.… Par contre, j'avoue…

2 *Exemples*

Je prends mon petit déjeuner seul(e) dans ma cuisine en écoutant la radio. Parfois, je prends un café-crème dans le bar, en bas de chez moi, en lisant le journal. À midi, je déjeune à la cantine avec des collègues de travail ou bien je mange un sandwich en marchant dans le parc. Le soir, je dîne avec ma femme/mon mari. C'est toujours l'un de nous qui prépare à manger. Des choses simples, mais faites à la maison. Le repas est un moment important car on se raconte notre journée, on parle des actualités, des films qui passent. Nous regardons la télévision après le dîner. Je ne regarde jamais la télévision en mangeant, sauf les soirs où il y a un match de Coupe du Monde de football. Alors on se réunit avec des copains et on mange une pizza tous ensemble en regardant la partie.

1   Lettre de la mère de Colette à son gendre
… <u>Pourtant</u>, je n'accepterai pas… <u>du moins</u>, pas maintenant. Voici <u>pourquoi</u>… <u>Or</u> je suis déjà une très vieille femme… Veuillez <u>donc</u> accepter…

2   *Exemples*
Hier, je ne suis pas allé(e) au travail **parce que je me suis fracturé la cheville.**

à cause de	**la neige qui a bloqué toutes les rues de la ville et tous les transports.**
en effet,	**j'ai pris une journée de congé pour aller avec Jo à la campagne.**
et pourtant,	**j'avais rendez-vous avec un client important.**
bien que	**je sois habituellement un(e) employé(e) modèle.**
en revanche,	**je resterai plus longtemps au bureau demain et après-demain.**
alors que	**j'avais énormément de travail à terminer.**
donc,	**je me suis reposé(e).**
si bien que	**je ne sais pas ce qui a été décidé en mon absence.**
or,	**il y avait une réunion très importante pour notre avenir.**
malgré	**un programme de travail très chargé.**
sans que	**personne ne s'en rende compte.**
quoique	**j'aurais aimé voir mes collègues.**
ce qui fait que	**j'ai dû travailler à la maison pendant le week-end.**

3   *Exemples*
1. … par conséquent **je ne peux pas partir en voyage. – 2.** … **pourtant il en parle tout le temps. – 3.** … tandis que mon père **est un vrai chauffard. – 4.** … bien qu'elle **n'ait pas trouvé de beau chapeau pour l'occasion. – 5.** … pourtant **il avait fait venir un grand traiteur. – 7.** … mais ça ne l'empêche pas **d'être très mignon. – 8.** … de sorte que **nous ne soyons pas dérangés en réunion. – 9.** … non pas qu'il **soit antipathique,** mais il est irresponsable. **– 10.** … d'où **l'augmentation des bagarres dans les rues. – 11.** … si bien que **les champs sont inondés. – 12.** … pour que **vous soyez satisfaits. – 13.** … pour **économiser de l'énergie électrique. – 14.** … de sorte qu'elle **est méconnaissable.**

1   *Exemples*
D'un côté, Internet est un progrès, car la distance n'est plus un problème pour communiquer avec les autres, notamment grâce aux courriels et aux blogs. On peut entrer en contact avec des inconnus qui vivent à l'autre bout du monde et échanger idées, questions, sentiments. Cependant, il s'agit de contacts virtuels et non réels et nous manquons de recul pour juger ce phénomène. Souvent, des inventions positives se sont trouvées perverties dans le temps, comme la découverte du métal qui a servi à la fabrication des armes. Jusqu'à présent, Internet a été avant tout un outil démocratique qui met à la disposition de l'humanité des informations et de la culture gratuites. On peut accéder à toute information dans l'instant. Cependant, le téléchargement pose d'autres types de problème. Le partage de l'information gratuite est une chose fascinante, mais comment permettre aux créateurs de subsister ? La disparition des éditeurs de musique, de films ou de grands journaux implique la perte d'emplois de millions d'individus. On risque par ailleurs d'être manipulés par les inconnus qui transmettent les informations. Enfin, l'informatique, qui ouvre des horizons, fait découvrir de nouvelles choses et de nouvelles personnes, peut aussi devenir une drogue et enfermer les gens chez eux en créant une addiction. L'informatique est un progrès pour l'homme, mais il faut savoir s'en servir pour rester libres.

1 *Exemples*

L'espérance de vie s'est considérablement allongée au cours du siècle grâce aux progrès de la médecine et de la science. D'un côté, on pourrait penser que ces progrès vont continuer et amener l'homme à vivre deux fois plus longtemps, notamment si on s'attaque aux racines du vieillissement, d'un autre côté, est-ce que cela vaut la peine de vivre plus longtemps en se soignant sans cesse ? La vie sédentaire est porteuse de handicap comme l'obésité et le diabète. Par ailleurs, la démographie explose et les ressources commencent à manquer, on se demande donc dans quel espace et dans quelles conditions devra vivre ce nouvel humain.

1 **1.** Il va faire beau. **Sans doute partirons-nous en week-end.** – **2.** Le spectacle finira après minuit. **Peut-être rentrerons-nous en taxi.** – **3.** Les enfants étaient fatigués, **aussi la baby-sitter les a-t-elle mis au lit très tôt.** – **4.** Il n'y aura pas beaucoup de monde à notre soirée. **Tout au plus serons-nous une dizaine.** – **5.** Nous manquons de sièges. **Aussi faudra-t-il apporter quelques chaises.** – **6.** Je n'ai plus mal au genou : **ainsi pourrai-je refaire du sport. 7.** La situation économique semble s'améliorer. **Du moins pouvons-nous l'espérer.**

2 **1.** « Attention à la marche », **s'exclama-t-il.** – **2.** « J'ai cinq enfants. Pitié », **supplia-t-elle.** – **3** « Voulez-vous m'épouser ? » lui **demanda-t-il.** – **4.** « Eh bien… c'est-à-dire… Je… Je ne sais pas… », **balbutia-t-elle.** – **5.** « Nous allons sûrement gagner les élections », **se dirent-ils.** – **6.** « Il manque un bouton à ta chemise », **remarqua-t-elle.**

3 **Doutes**

J'ai peur/Je crains qu'il ne voie quelqu'un en cachette. J'ai peur/Je crains qu'il ne soit amoureux d'une autre. J'ai peur/Je crains qu'il ne dise des mensonges. J'ai peur/Je crains qu'il ne s'ennuie avec moi. J'ai peur/Je crains qu'il ne parte un jour. Je redoute qu'il ne parte un jour.

4 **1.** On attend la pluie, mais je crains **qu'il ne pleuve pas.** On aimerait faire une grande promenade, mais je crains **qu'il ne pleuve.** – **2.** Je ne veux plus voir Marc. J'espère que ne viendra pas, mais j'ai peur **qu'il ne vienne.** J'attends l'arrivée de Paul avec impatience. Il devrait venir, mais j'ai peur **qu'il ne vienne pas.** – **3.** Ce candidat est honnête, mais il n'est pas très populaire. Je crains **qu'il ne gagne pas.** Ce candidat est malhonnête, mais il est très populaire. Je crains **qu'il ne gagne.**

5 **1.** (N) – **2.** (E) – **3.** (E) – **4.** (N) – **5.** (E) – **6.** (N).

2 Ce qui porte malheur, c'est de **passer** sous une échelle, de **renverser** du sel, de **briser** un miroir, de **se lever** du pied gauche le matin, de **croiser** un chat noir dans la rue, d'**ouvrir** un parapluie dans une pièce, de **mettre/poser** le pain à l'envers, de **tuer** une araignée, d'**offrir** des couteaux à un ami, de **poser** son chapeau sur le lit, **de laisser** tomber une brosse à cheveux…

3 *Exemples*

Voilà quelques superstitions dont j'ai entendu parler.
Ail : L'ail conjure les mauvais sorts et repousse les vampires.
Allumette : Brûler une allumette d'un bout à l'autre sans se brûler permet de faire un vœu.
Balai : Poser un balai dans son entrée chasse les esprits mauvais, ou les personnes qu'on veut voir partir.

Bois : Toucher du bois conjure la malchance.
Coccinelle : La coccinelle porte chance si elle se pose sur votre index gauche.
Fontaine : Il faut offrir une pièce d'argent à une fontaine pour que votre vœu se réalise.
Oreille : Une oreille qui siffle indique que l'on parle de vous.
Tablier : Le mettre à l'envers fait rater les plats que l'on cuisine.
Je ne crois pas au mauvais œil, mais je crois au pouvoir de l'esprit : ainsi, il ne faut pas perdre confiance car cela peut entraîner des catastrophes. Quelquefois je suis impressionné(e) de voir ce que disent les cartes, même si je ne cherche pas à y lire mon avenir.

Test n° 7 – pages 276-277

1 1. Nous avions acheté nos billets de train à l'avance, c'est pourquoi/donc/ce qui explique que/ce qui fait que nous avons payé un tarif avantageux.

2. Beaucoup de gens investissent dans l'immobilier car/parce que/étant donné que les banques ne semblent pas fiables.

3. Il pleuvait et la chaussée était glissante, ce qui explique que/c'est pourquoi la voiture a dérapé.

4. Quoique/Bien que Paul Duval et Marc Dupuis soient voisins et qu'ils aient le même âge, ils ne se parlent jamais. Quoique/Bien qu'Anna suive un régime draconien, elle n'arrive pas à perdre du poids.

5. L'automobiliste roulait tellement vite/si vite qu'il n'a pas pu freiner à temps.
Ces émigrants ont vécu tant de drames/tellement de drames qu'ils ont vieilli avant l'heure.
Les randonneurs étaient si fatigués/tellement fatigués qu'ils se sont endormis sans manger.

6. Le candidat des Verts a déclaré qu'il n'y aurait pas d'alliance avec les partis qui ne soutenaient pas la charte écologique. Le candidat des Verts a déclaré que l'abandon du programme nucléaire serait progressif mais inéluctable.

7. La loi interdit que les commerçants vendent de l'alcool aux mineurs. La loi interdit que les promoteurs ne construisent en zone inondable.

8. Quels sont les documents dont vous avez besoin ?

9. Connaissez-vous l'écrivain auquel le journaliste a fait allusion ?

10. Il semble que la plupart des internautes français fassent partie d'un réseau social sur Internet.

11. Ce bracelet est très ancien. C'est un objet auquel je suis très attaché(e).

12. En France, la peine de mort a été abolie en 1981. Le champagne se boit très frais.

13. Quelles sont les entreprises auxquelles vous vous êtes adressées pour réaliser les travaux ?

14. Nous irons à la campagne, à moins qu'il ne fasse froid.

15. Au cas où les diplomates ne parviendraient pas à un accord, un conflit serait à craindre.
Au cas où vous ne réussiriez pas en juin, vous pourriez repasser les examens en septembre.

16. Les personnes ayant travaillé plus de quarante ans peuvent prendre leur retraite.
Les personnes sachant bien jouer d'un instrument de musique sont très rares.

2 Si les Européens n'avaient pas fait les grandes découvertes et n'avaient colonisé ni l'Amérique ni l'Afrique, ces continents auraient pu se développer à leur rythme.
Si Léonard de Vinci avait abandonné la peinture pour donner vie à ses inventions, il aurait déclenché, dans l'Italie de la Renaissance, une révolution industrielle anticipée. L'Italie aurait dominé le monde.
Si l'archiduc François-Ferdinand était tombé malade le 28 juin 1914, il aurait, de ce fait, échappé à un attentat à Sarajevo, et la Première Guerre mondiale n'aurait pas eu lieu.

Idées d'exploitation des images à l'oral et à l'écrit

Page 17. Affiche de cinéma

1. Décrivez l'affiche.

2. Sujet : Le cinéma

Où vous placez-vous quand vous allez au cinéma (devant, au milieu, au fond, sur le côté, au centre) ? Quel genre de film aimez-vous (films policiers, comédies, drames sentimentaux, films fantastiques, films d'horreur) ? Allez-vous au cinéma seul ou avec des amis ? Préférez-vous voir les films dans une salle ou chez vous, sur un écran ? Dans quel film auriez-vous aimé jouer ? Avec quels acteurs ?

....

....

....

....

....

3. Faites une recherche sur le film *Les Oiseaux* d'Hitchcock. Résumez-le à l'écrit.

Page 23. Tableau de Van Gogh

1. Décrivez le tableau.

2. Faites une recherche sur le peintre et racontez l'histoire de sa vie.

Page 27. Carte du monde

1. Identifiez quelques pays d'Europe et d'Afrique.

2. Cherchez sur Internet leurs ressources agricoles et énergétiques, les lieux touristiques, les musiques, les danses, les monnaies, etc.

Page 39. Tableau de Klimt

1. Sujet : L'amour

Croyez-vous au coup de foudre ? Pensez-vous que « les histoires d'amour finissent mal, en général », comme le dit la chanson, ou que « l'amour dure 3 ans », comme le disent les biologistes ? Et pourquoi ? Qu'est-ce qui explique, selon vous, que certains couples durent plus longtemps que d'autres ? Faut-il pardonner une infidélité ? La jalousie est-elle naturelle dans un couple ?

....

....

....

....

....

Page 117. Pochette de disque

1. Cherchez sur Internet les auteurs et les interprètes des titres.

2. Sujet : La musique

Écoutez-vous de la musique classique ? De la musique pop ? De la techno ? Quels sont vos chanteurs préférés ?
Écoutez-vous la musique à la radio, sur une chaîne stéréo ou sur un baladeur ? Téléchargez-vous de la musique ?
Écoutez-vous de la musique en travaillant ?
Connaissez-vous des chansons françaises ?

....

....

....

....

....

Page 272. Carte du tarot

1. Décrivez la carte du Pendu. Imaginez ce que signifie ce dessin.

2. Sujet : Le jeu

Jouez-vous (poker, jeux de société, sports) ? Regardez-vous les jeux télévisés ? Jouez-vous de préférence avec un ordinateur ou avec un partenaire ? Pourquoi joue-t-on, selon vous (pour oublier les difficultés de la vie, pour gagner, pour s'exercer, pour ressentir de l'excitation) ?

....

....

....

....

....

Récréation : chansons pour travailler la grammaire

Le présent

Je danse, donc je suis	interprète : Brigitte Bardot
Tout va bien	interprète : Pascal Parisot
Comme d'habitude	interprète : Claude François
Louxor, j'adore	interprète : Philippe Katherine
Maudits Français	interprète : Linda Lemay

Le futur

Et maintenant	interprète : Gilbert Bécaud
Je vais te chercher	interprète : Chimène Badi
Éducation sentimentale	interprète : Maxime Le Forestier
Bille de verre	interprète : Maxime Le Forestier
Un jour tu verras	interprète : Mouloudji
Dis, quand reviendras-tu ?	interprète : Barbara
Alain Delon jeune	interprète : Fred Poulet

L'imparfait

On savait	interprète : La Grande Sophie
La petite fugue	interprète : Maxime Le Forestier
Chez Laurette	interprète : Michel Delpech
Le temps des fleurs	interprète : Dalida

Le passé composé et l'imparfait

Il y avait un garçon	interprètes : Édith Piaf et Yves Montand
Je m'voyais déjà	interprète : Charles Aznavour
Mon amie la rose	interprète : Françoise Hardy
Dialogues	interprète : Maxime le Forestier
Milord	interprète : Édith Piaf

Le conditionnel et le subjonctif

Si j'étais président	interprète : Gérard Lenorman
Je ne sais pas choisir	interprète : Emily Loiseau
Un autre monde	interprète : le groupe « Téléphone »
Attendez que ma joie revienne	interprète : Barbara
Tout le bonheur du monde	interprète : Sinsemilia
Le mors aux dents	interprète : Miossec

L'impératif

Ne me quitte pas	interprète : Jacques Brel
Fais pas ci, Fais pas ça.	interprète : Jacques Dutronc

La cause

L'étourderie	interprète : Emily Loiseau
Puisque tu pars	interprète : J.-J. Goldman

Les possessifs

Rio Baril	interprète : Florent Marchet

Imprimé en France en février 2019 par la Nouvelle Imprimerie Laballery - 58500 Clamecy
N° de projet : 10253048 - Dépôt légal : février 2019 - N° impression : 901114